G. **Cremonesi** • P. **Bellini**

I come Italia

Aspetti di civiltà **italiana**

NUOVA EDIZIONE

ELi
EDIZIONI

I come Italia – NUOVA EDIZIONE
Aspetti di civiltà italiana

Autori: G. Cremonesi, P. Bellini.
Coordinamento editoriale: Paola Accattoli
Redazione: Paola Accattoli
Direttore artistico: Marco Mercatali
Progetto grafico e impaginazione: Airone Comunicazione
Direttore di produzione: Francesco Capitano
Ricerca iconografica: Giorgia D'Angelo - Airone Comunicazione

Fotografie:
Marka, pagine: 8 (Paolo Sorrentino), 24-25 (Piazza San Marco), 50-51 (due studenti, gruppo studenti), 55 (Puliamo il mondo), 75 (Corsa dei Ceri), 81 (Maschere), 109 (Eros Ramazzotti), 124 (Guglielmo Marconi), 144 (Cartina Italia).
Olycom, pagine: 8 (Massimo Bottura, Miuccia Prada), 14 (Commedia dell'arte), 37 (Niccolò Ammaniti), 45 (negozio Tod's), 54 (Emergency), 65 (Beatrice Maria Vio, Luigi Datome, Filippo Tortu), 67 (Partite del Cuore), 104-105 (Fabrizio De Andrè, Lucio Battisti, Vasco Rossi, Ligabue).
Shutterstock, Archivio ELI.

Copertina: Curvilinee.
Foto di copertina: iStock, Shutterstock (stambecco).

L'editore resta a disposizione degli aventi diritto per qualsiasi involontaria emissione o inesattezza nella citazione delle fonti di brani o immagini riprodotti in questo volume.

© 2018 ELI srl
C.P. 6 – 62019 Recanati
Italia
Tel. +39 071 750701
Fax +39 071 977851
info@elionline.com
http://www.elilaspigaedizioni.it

Stampato in Italia presso Tecnostampa – Pigini Group Printing Division – Loreto, Trevi 18.83.264.0
ISBN 978-88-536-2495-6

Materiale sviluppato in collaborazione con:

www.scuoladantealighieri.org/ita/camerino.htm

Recanati - (Italia)
www.campusinfinito.it

I come Italia

Aspetti di civiltà **italiana**

Ciao a tutti! Siete pronti per un appassionante viaggio in Italia?

Questa **nuova edizione** di *I come Italia*, **ampiamente aggiornata**, vi farà conoscere tutti gli aspetti più attuali del "Bel Paese", senza dimenticare le tradizioni, la storia, la cucina, il cinema e tanto altro.

Tanti ragazzi italiani presenteranno gli aspetti più interessanti della vita in Italia: un modo per conoscere realtà diverse e confrontarsi, per parlare insieme di sport, di natura, di scuola, di sentimenti, di famiglia e di tanti altri argomenti.

Potrete passeggiare per Firenze, Roma o Venezia o "assaggiare" specialità italiane, aggiornarvi sulla società italiana, ormai diventata multietnica, o conoscere i capolavori dell'arte e della letteratura italiana.

Insomma, un divertente viaggio nell'**Italia di oggi**, ricca di cambiamenti e di tesori artistici e naturali. E inoltre, tanti giochi e attività divertenti per imparare la lingua italiana divertendosi!

Pronti? Si parte!

Grande attualità

Com'è oggi la società italiana? Come è cambiata la famiglia? Come usano la tecnologia i ragazzi italiani? Le risposte a queste – e tante altre domande – sono nei nuovi, aggiornatissimi dossier.

Confrontarsi

Gli argomenti dei **20 dossier** sono presentati, in gran parte, da ragazzi italiani: un modo semplice e amichevole per confrontarsi subito con lo stile di vita del "Bel Paese". Tanti amici che vivono in Italia parleranno della loro città, della loro scuola o dei loro sentimenti.

Tesori italiani

Arte, città, natura... tante pagine dedicate ai "tesori" artistici e naturali, per conoscerli o imparare qualcosa di nuovo su di essi. Tutto il "bello" dell'Italia spiegato con semplicità e chiarezza.

Tradizioni

Dal Palio di Siena al Carnevale, dal Natale alla Corsa dei Ceri di Gubbio, le tradizioni italiane fanno subito atmosfera di festa e rivelano le loro curiosità più divertenti e particolari.

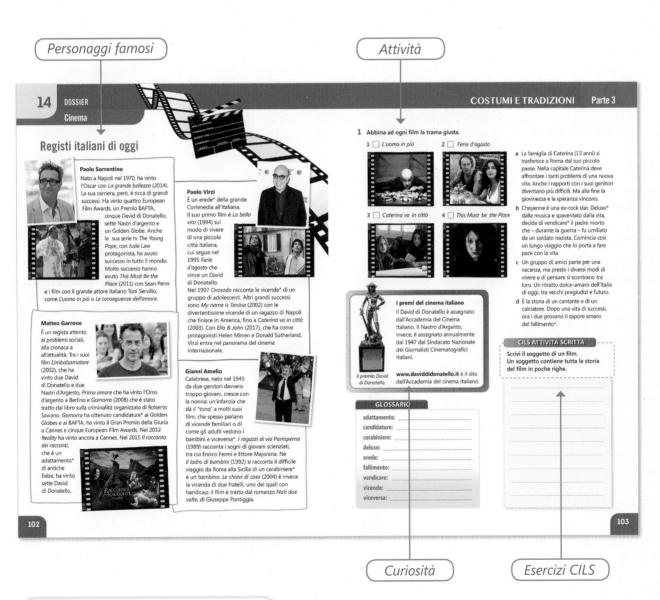

Personaggi famosi

Attività

Curiosità

Esercizi CILS

🔊 **2** *Ascolti*

CILS *Esercizi creati sul modello degli esami di certificazione*

Sommario

1 L'italiano nel mondo

Benvenuto!

Quattro personaggi* italiani, famosi in tutto il mondo, ti danno il benvenuto in Italia. Li conosci? Abbina ad ognuno le informazioni giuste.

LAURA PAUSINI

1 Ciao! Io sono LAURA PAUSINI, cantante.

☐ ☐ ☐ ☐

PAOLO SORRENTINO

2 Mi conosci? Sono il regista Paolo Sorrentino.

☐ ☐ ☐ ☐

MIUCCIA PRADA

3 Mi chiamo MIUCCIA PRADA e faccio la stilista.

☐ ☐ ☐ ☐

MASSIMO BOTTURA

4 Ciao a tutti! Mi chiamo Massimo Bottura e sono uno chef famoso!

☐ ☐ ☐ ☐

A Nel 1993 ho creato a Milano la *Fondazione Prada* che si occupa di arte moderna.

B Sono nato a Modena, in Emilia Romagna, il 30 settembre 1962.

C Nel 2014 ho vinto il Premio Oscar con il film *La grande bellezza*.

D Sono nata a Solarolo, un piccolo paese dell'Emilia Romagna, il 16 maggio 1974.

E Il mio ristorante *Osteria* francescana* ha avuto 3 stelle Michelin!

F Ho vinto il Festival di Cannes con il film *Il divo*.

G Nel 1993 sono diventata famosa con la canzone *La solitudine* al Festival di Sanremo.

H Sono nato a Napoli il 31 maggio 1970.
I Nel 2016 il mio ristorante ha vinto il premio come migliore ristorante del mondo.
L Nel 2006 ho vinto il *Grammy Awards* con la versione* spagnola della canzone *Ascolta*.
M Il nome Prada è diventato famoso in tutto il mondo.
N Per la prima volta una cantante italiana ha vinto questo premio!
O Ho studiato Legge* all'università, ma la cucina è sempre stata la mia passione.
P Sono nata a Milano, in Lombardia, nel 1949.
Q Il mio primo film è stato *L'uomo in più* del 2001.
R Sono diventata famosa nel 1985 con le mie borse da* donna.

GLOSSARIO

da donna: _____

Legge: _____

osteria: _____

personaggi: _____

versione: _____

1 **Vero o falso? Prima di rispondere, completa le frasi con il passato prossimo.**

V F

1 Laura Pausini _____ famosa nel 1983. □ □
2 Il ristorante di Massimo Bottura _____ 2 stelle Michelin. □ □
3 Miuccia Prada _____ famosa con le borse da donna. □ □
4 Paolo Sorrentino _____ un Premio Oscar. □ □
5 Miuccia Prada _____ la Fondazione Prada, che si occupa di moda. □ □
6 Massimo Bottura _____ Legge. □ □
7 Il primo film di Paolo Sorrentino _____ *L'uomo in più* del 2001. □ □
8 Laura Pausini _____ il 16 maggio 1974. □ □

2 **Usa il codice e scopri il nome di 3 luoghi famosi italiani.**

| ✪=A | ★=C | ♥=E | ✦=I | ●=L | ▲=M |
| ✳=N | ✚=O | ♣=R | ○=S | ☐=T | |

1 La città italiana famosa per la moda.
▲ ✦ ● ✪ ✳ ✚
☐ ☐ ☐ ☐ ☐ ☐

2 La famosa "città del cinema" a Roma.
★ ✦ ✳ ♥ ★ ✦ ☐ ☐ ✪
☐ ☐ ☐ ☐ ☐ ☐ ☐ ☐ ☐

3 La città del Festival della Canzone italiana.
○ ✪ ✳ ♣ ♥ ▲ ✚
☐ ☐ ☐ ☐ ☐ ☐ ☐

3 **Scrivi nello schema l'infinito di questi verbi al Passato Prossimo.**

1 sono stato
2 ho lavorato
3 ho creato
4 ha vinto
5 è diventato
6 sono nata

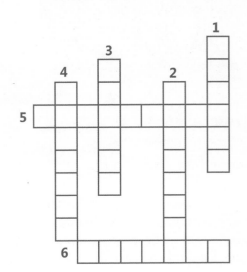

CILS ESPRESSIONE ORALE

• Riassumi ai tuoi compagni la vita di uno dei personaggi presentati.

• Parla del lavoro che ti piacerebbe fare.

Simboli d'Italia

LA PIZZA

Ci sono molti tipi di pizza, ma la pizza preferita è sempre la "margherita". Questa pizza è stata inventata nel 1889 dal più bravo cuoco di Napoli, Raffaele Esposito, in onore della regina Margherita di Savoia.

IL COLOSSEO

È il monumento romano più famoso del mondo. È stato costruito tra il 72 e l'80 dopo Cristo. Nel Colosseo si* svolgevano combattimenti* di gladiatori, caccie* ad animali feroci e battaglie navali. Nel Colosseo potevano entrare 50 mila persone.

IL CALCIO

È lo sport nazionale italiano ed è seguito e praticato da milioni di persone. Le squadre più amate sono la Juventus, il Milan e l'Inter. Il colore della Nazionale italiana è l'azzurro, usato per la prima volta nel 1911. Era il colore della casa reale dei Savoia.

LA FERRARI

La casa* automobilistica Ferrari fu fondata negli anni '30 da Enzo Ferrari, ex pilota di Formula 1. Il simbolo della Ferrari è il cavallino rampante*, in onore di Francesco Baracca, eroe della Prima guerra mondiale. Sul suo aereo, infatti, Baracca aveva il disegno di un cavallino rampante.

IL TRICOLORE

Così si chiama la bandiera italiana. Nacque ufficialmente a Reggio Emilia il 7 gennaio 1797, quando gli italiani si ribellarono al dominio* di Napoleone. È il simbolo dell'unità nazionale italiana. Infatti, il bianco rappresenta la neve delle Alpi, il rosso il fuoco dei vulcani e il verde il colore dei prati.

IL CAFFÈ

Il caffè, detto anche espresso, è la bevanda preferita dagli italiani a colazione e dopo pranzo in genere. Ogni anno nei bar italiani vengono bevuti più di 6 miliardi di espressi. Molti preparano il caffè anche a casa, con la caffettiera* "moka".

1 Rispondi alle domande.

1 Da chi è stata fondata la casa automobilistica Ferrari?

_____

2 In onore di chi è stata inventata la pizza margherita?

_____

3 Quando è stato usato per la prima volta il colore azzurro dalla Nazionale?

_____

4 Quando è nato ufficialmente il tricolore italiano?

_____

5 Quanti espressi vengono bevuti nei bar italiani ogni anno?

_____

6 Quando è stato costruito il Colosseo?

_____

2 Metti in ordine le frasi.

1 Il nome "Colosseo" deriva da...
lì vicino. / una colossale statua / che era / dell'imperatore Nerone

_____
_____
_____

2 Le Ferrari sono rosse perché...
italiane / il rosso era / nelle prime gare / il colore delle auto / internazionali.

_____
_____
_____

GLOSSARIO

caccie: _____

caffettiera: _____

casa: _____

combattimenti: _____

dominio: _____

rampante: _____

si svolgevano: _____

3 Trova nello schema 16 parole che hai letto. Poi leggi il nome dei principali ingredienti della pizza margherita e scrivili sotto alla foto giusta.

```
T A B P O C U O C O M O D
R Z A R E A L E C A S A U
I Z N O R V U L C A N I N
C U D G L A D I A T O R I
O R I O M L O Z E R O E T
L R E Z A L V E R D E R A
O O R E L I L N E V E A B
R A A S I N A P O L I L I
E R O S S O P I Z Z A C O
```

A

_____

B

_____

C

_____

Ciao! Parli italiano?

La lingua italiana è amata in tutto il mondo, perché è la lingua dell'arte, della moda, della musica e della cucina. E poi è una bella lingua! Ma non tutti sanno che la lingua italiana è parlata in 11 nazioni nel mondo: in Italia, Argentina, Brasile, Canada, Croazia, Libia, Principato di Monaco, Somalia, Svizzera, nell'isola di Malta, nella città francese di Nizza, in Corsica e, in più, nella Città del Vaticano e nella Repubblica di San Marino che però si trovano in Italia. Si tratta di Paesi con cui l'Italia, in passato, ha avuto scambi* commerciali, politici o sociali. In tutto, la lingua italiana è parlata da quasi 90 milioni di persone. L'italiano oggi è la quarta lingua più studiata nel mondo, dopo l'inglese, lo spagnolo e il cinese. Le ragioni* sono molte, per esempio circa 40 milioni di italiani, in passato, sono emigrati* all'estero* e i loro figli e nipoti vogliono imparare l'italiano. È anche la lingua della Chiesa cattolica e molti sacerdoti* imparano l'italiano. È la lingua della musica e molti musicisti e cantanti devono imparare l'italiano per lavoro ed è la lingua dell'arte e della moda: chi studia arte, o vuole lavorare nel mondo della moda, impara l'italiano.

Quanti studenti nel mondo?
Gli studenti di italiano nel mondo sono più di un milione e mezzo: nel 2012 erano 500 mila, un bel successo! Tra i Paesi che amano di più la lingua italiana ci sono la Germania, con circa 250 mila studenti, gli Stati Uniti con circa 150 mila e l'Egitto con 130 mila studenti circa. In Giappone, sono circa 33 mila.

Ciao, io mi chiamo Kuniko, ho 19 anni e sono di Osaka. In Giappone studiare l'italiano è* molto di moda e molte università offrono corsi di lingua italiana, ma anche di letteratura, arte e cultura italiana. Ci sono corsi di italiano anche in televisione e alla radio. Dal 2000, in primavera, c'è anche un grande festival del cinema italiano a Tokyo. Io amo la lingua, la moda e la cucina italiane. La lingua è un po' difficile a volte: spesso non ricordo gli articoli o il femminile e maschile, ma sto migliorando molto!

1 Rispondi

Quali caratteristiche hai notato riguardo allo studio dell'italiano nel mondo?

_____
_____
_____
_____

2 Vero (V) o falso (F)?

	V	F
1 La lingua italiana è parlata in 7 nazioni nel mondo.	☐	☐
2 La lingua italiana è parlata da 50 milioni di persone nel mondo.	☐	☐
3 In Giappone ci sono corsi di lingua italiana in televisione.	☐	☐
4 La cultura italiana non è amata in Giappone.	☐	☐
5 In Germania lo studio dell'italiano non è molto diffuso.	☐	☐
6 È utile imparare l'italiano nel mondo della moda.	☐	☐

La Città del Vaticano
È lo Stato più piccolo del mondo, si trova nella città di Roma ed è la sede* del Papa. In questo piccolissimo stato si trova il centro della Cristianità. Ci sono anche alcune delle opere d'arte più belle del mondo, come la *Pietà* di Michelangelo.

La Repubblica di San Marino
È una Repubblica piccolissima e si trova al confine* tra Marche ed Emilia Romagna. Ha il suo governo, la sua moneta e la sua bandiera.
È governata da due "Capitani Reggenti" che restano al governo solo per sei mesi.

3 🔊 2 **Le Guardie Svizzere**
Ascolta il brano e segna le parole che senti.

- ☐ 1606
- ☐ papa Giulio II
- ☐ coraggio
- ☐ paura
- ☐ fedeltà
- ☐ proteggono
- ☐ disonesti
- ☐ spossati
- ☐ cerimonie
- ☐ tiro

- ☐ 1506
- ☐ papa Giuliano II
- ☐ formaggio
- ☐ bravura
- ☐ correggono
- ☐ cattolici
- ☐ onesti
- ☐ sposati
- ☐ giro
- ☐ marce

GLOSSARIO

confine: _____
è... moda: _____
emigrati: _____
estero: _____
ragioni: _____
sacerdoti: _____
scambi: _____
sede: _____

4 Secondo molti studenti queste sono alcune delle parole più belle in italiano.
Sottolinea quelle che ti piacciono e... aggiungi le tue!

abbracci   allora   azzurro   buio   cantare   chiacchiera   ciao   dimmi   dolcetto   fagiolini
farfalla   gentile   insieme   patatina   piccolo   pomodoro   tesoro   torta   vuoto

_____

_____

CILS ESPRESSIONE SCRITTA

Immagina di scrivere una email ad un amico e spiega perché studi l'italiano.

Nuovo messaggio

A:
Oggetto:

Parole famose

Sono molte le parole italiane conosciute nel mondo e riguardano soprattutto la cucina, la musica classica e l'arte. Questo perché, da sempre, l'Italia è legata* all'idea di "bello". La lingua italiana è legata ad idee come il divertimento, l'allegria, la fantasia... Per questo all'estero è molto usata nella pubblicità. Alcune case automobilistiche danno nomi italiani alle loro auto e molti slogan usano la parola "amore". E non dimentichiamo i negozi e i ristoranti con nomi italiani!

Casi particolari
Il regista Federico Fellini ha lanciato* due parole italiane nel mondo: *paparazzo* (in 23 lingue) e *Dolce vita* (in 16 lingue). La vittoria dell'Italia ai Mondiali di calcio del 1982 ha portato all'estero parole del calcio come *tifoso* (in 17 lingue) e *azzurri* (in 8 lingue). Nella cucina ormai la parola *tiramisù* è famosa in 23 lingue, tra cui il giapponese e il thai. Altre parole come *pesto*, *bruschetta* e *rucola* sono ormai diventate famose come *salame* (in 32 lingue) o *cappuccino* (in 40 lingue).

Un po' di storia
L'italiano ha influenzato molto le altre lingue dall'Europa del Nord all'Oriente. Vediamo insieme come.

1200

Nel Medioevo molti banchieri e mercanti avevano rapporti commerciali con quasi tutta l'Europa e con l'Oriente. Oggi sono molte le parole italiane usate nella finanza.

1400

Nel 1400, con il Rinascimento, l'Italia diventa la culla dell'arte. Artisti da tutta Europa vengono in Italia per studiare letteratura, pittura, scultura o architettura e riportano nel loro Paese arte e... parole dell'arte.*

1492

Tutti conoscono Cristoforo Colombo, che scoprì l'America nel 1492. Ma l'Italia aveva moltissimi bravi marinai. Le parole italiane nella navigazione sono davvero tante.

La Commedia dell'Arte
È un tipo di teatro nato in Italia nel Cinquecento. Gli attori della Commedia recitavano nelle piazze e nelle strade di tutta Europa, senza seguire un copione*. I personaggi della Commedia erano le "maschere", cioè dei personaggi fissi* come "il marito tradito", l'"avaro", il "servo furbo". Il commediografo veneziano Carlo Goldoni (1707-1793) cambiò profondamente la Commedia dell'Arte. Inserì l'uso di un copione e rese le "maschere" più umane, più vere, creando il teatro moderno.

1 Ecco alcune delle parole italiane più usate nel mondo. Quali parole italiane si usano comunemente nel tuo Paese? Scrivile.

CIBO	ARTE	DESIGN	SPORT	MUSICA	ALTRO
spaghetti	affresco	moka	calcio	concerto	_____
espresso	maiolica	vespa	regata	sonata	_____
_____	_____	_____	_____		

2 Queste parole italiane si trovano in molte lingue. Tu conosci il loro significato esatto?

1 Confetti

a ☐ piccoli dischi di carta colorata

b ☐ piccoli dolci composti da una mandorla coperta di zucchero

c ☐ cioccolatini ripieni

2 Tramontana

a ☐ vento freddo che viene dal Nord

b ☐ luogo dove tramonta il sole

c ☐ donna che abita in montagna

1500

Gli attori della Commedia dell'Arte viaggiano per tutta l'Europa con i loro spettacoli. A Parigi hanno un successo straordinario e un loro teatro. Le parole italiane del teatro entrano un po' in tutte le lingue.

1600

La cucina italiana è sempre stata famosa. Bravissimi cuochi lavoravano per re e regine. Chi veniva in Italia si innamorava del cibo italiano. Anche oggi...

1700

A partire dal 1700, quando musicisti italiani suonavano per re e regine di tutta Europa, molte parole italiane cominciarono ad essere usate nella musica. E non dimentichiamo il melodramma*!

CILS ESPRESSIONE ORALE

Inventa uno slogan pubblicitario nella tua lingua, usando almeno una parola italiana.

GLOSSARIO

copione: _____

culla: _____

fissi: _____

ha lanciato: _____

legata: _____

melodramma: _____

2 Dai monti al mare

Le regioni italiane

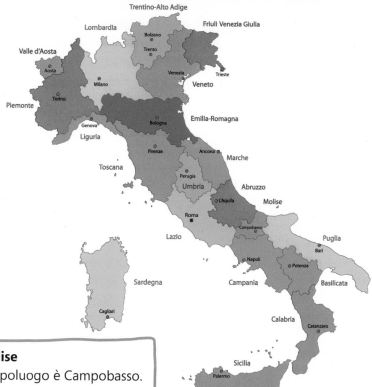

Basilicata

Il capoluogo è Potenza, ma la sua città più famosa è Matera. Qui, infatti, ci sono i Sassi, cioè case preistoriche scavate nella roccia, dichiarati Patrimonio dell'Umanità nel 1993 dall'UNESCO. Nel 2019 Matera è "Capitale Europea della Cultura".

Molise

Il capoluogo è Campobasso. È una regione molto piccola, che offre soprattutto bellezze naturali.

Campania

Il capoluogo è Napoli. È famosa per la pizza, gli spaghetti e Pulcinella, una maschera "filosofica", che conosce bene la vita. Qui si trovano anche i resti della città romana di Pompei e di quella greca di Paestum, distrutte dal vulcano Vesuvio nel 79 dopo Cristo.

Abruzzo

Il capoluogo è L'Aquila. Nel Parco Nazionale d'Abruzzo vive una specie particolare di orso, l'orso marsicano.

Lazio

Il capoluogo è Roma, che è anche la capitale d'Italia. È una città ricchissima di storia e di arte. A Roma si trova anche la Città del Vaticano, sede del Papa.

Lombardia

Il capoluogo è Milano, che è anche la città della moda ed è famosa per il suo duomo gotico e per il panettone.

Liguria

Il capoluogo è Genova, dove si trovano l'Acquario più grande d'Italia e una famosa Città della Scienza. Il piatto tradizionale è il pesto, un condimento per la pasta fatto con basilico, olio, aglio, pinoli e formaggio.

Emilia-Romagna

Il capoluogo è Bologna, dove si trova la più antica università del mondo occidentale, fondata nel 1088. Altre città importanti sono Parma, famosa per il suo teatro lirico, e Faenza, famosa per le sue ceramiche.

Marche

Il capoluogo è Ancona. Nelle Marche sono nati il poeta Giacomo Leopardi (1798-1837) e il pittore Raffaello Sanzio (1483-1520). Il Palazzo Ducale di Urbino è una delle più belle costruzioni del Rinascimento.

Sardegna

Il capoluogo è Cagliari. Quest'isola è famosa per la bellezza dei suoi paesaggi, del suo mare e per i nuraghi, misteriose costruzioni preistoriche.

Friuli Venezia Giulia

Il capoluogo è Trieste, una città ricca di scambi culturali e storici con l'Austria, la Germania e l'Europa dell'Est.

Calabria

Il capoluogo è Catanzaro. È una regione famosa per le montagne selvagge della Sila e dell'Aspromonte e per il suo peperoncino!

Piemonte

Il capoluogo è Torino, dove si trova il Museo del Cinema e dove, nel 2006, si sono svolte le Olimpiadi Invernali. La zona delle Langhe è famosa per i tartufi.

Puglia

Il capoluogo è Bari. Ad Alberobello ci sono i trulli, delle case del 1500 a forma di cono, patrimonio UNESCO dal 1996.

Sicilia

Il capoluogo è Palermo. Qui, nei secoli, si sono unite cultura araba, normanna, italiana, francese e spagnola. È famosa per i suoi buonissimi dolci. La tradizione teatrale dei pupi, grandi burattini di legno che raccontano le avventure di Carlo Magno, è Patrimonio Orale dell'Umanità.

Trentino-Alto Adige

È divisa nelle due province autonome del Trentino (con capoluogo Trento e popolazione di origine italiana) e dell'Alto Adige (con capoluogo Bolzano e popolazione di origine tedesca).

Valle d'Aosta

Il capoluogo è Aosta. Qui si trova la montagna più alta delle Alpi, il Monte Bianco (4.810 metri). A gennaio, ad Aosta, c'è la fiera dell'Orso, la più antica d'Europa: ha più di mille anni!

Toscana

Il capoluogo è Firenze. È la culla dell'arte e della lingua italiana. A Pisa c'è la famosa Torre pendente. A Siena troviamo invece il Palio, una corsa di cavalli che si svolge il 2 luglio e il 16 agosto.

Umbria

Il capoluogo è Perugia. Questa regione è detta "il cuore verde d'Italia", perché la sua natura è bellissima e perché si trova al centro dell'Italia. È la terra di San Francesco, patrono d'Italia. Il santo è sepolto ad Assisi nella bellissima basilica, decorata dal grande pittore Giotto.

Veneto

Il suo capoluogo è Venezia. Con i suoi canali e le sue gondole, è una delle città più belle del mondo. Ma è famosa anche Verona, per la sua arena romana dove oggi si fanno spettacoli lirici e perché è la città di Giulietta e Romeo.

Giro d'Italia… in poche parole

Conosciamo insieme le parole di base che servono per dire "Italia".

LE ALPI

Sono la catena montuosa più importante d'Europa e costituiscono il confine nord dell'Italia. Qui si trovano alcuni dei parchi nazionali più belli, come quello del Gran Paradiso in Valle d'Aosta. L'artigianato delle Alpi è famoso in tutto il mondo: oggetti di legno, di pietra e abiti in lana cotta sono amatissimi dai turisti. Così come sono amati i formaggi, tutti buonissimi. Sono anche il paradiso dello sport: dallo sci all'alpinismo. Le Alpi prendono nomi diversi a seconda delle zone. La parte più famosa è sicuramente quella delle Dolomiti, nelle Alpi Orientali.

GLI APPENNINI

Sono la catena montuosa che attraversa l'Italia da Nord a Sud e divide l'Italia in tirrenica (la parte sul mar Tirreno) ed adriatica (la parte sul mar Adriatico). Le montagne degli Appennini sono meno alte di quelle delle Alpi. La più alta è il Gran Sasso (2.912 metri) in Abruzzo.

LE CINQUE TERRE

Si tratta di una zona sulla costa della Liguria dove si trovano i paesi di Monterosso, Vernazza, Corniglia, Manarola e Riomaggiore, Patrimonio dell'Umanità dal 1997. La bellezza di questi luoghi è straordinaria. Sono famose anche per le coltivazioni a terrazza. Si tratta di coltivazioni fatte lungo le colline e protette da muretti. Tutti i muretti, messi insieme, sono più lunghi della Muraglia cinese.

LA VAL PADANA

Si tratta di una grandissima pianura, creata dal fiume Po nei secoli, che attraversa il Piemonte, la Lombardia, l'Emilia-Romagna e il Veneto. È una zona ricchissima di storia e arte. Il Delta del Po, inoltre, è uno dei parchi naturali più belli d'Italia.

Fiumi principali
- Po 652 Km
- Adige 410 Km
- Tevere 405 Km

Laghi principali
- Lago di Garda 370 Km²
- Lago Maggiore 170 Km² (parte italiana)
- Lago di Como 146 Km²
- Lago Trasimeno 128 Km²

Isole principali
- Sicilia
- Sardegna
- Isola d'Elba

LA MAREMMA

È una zona a Sud della Toscana, sul mar Tirreno, ma non ha confini ben precisi. In passato era una zona piena di paludi. Oggi, dopo la bonifica, mantiene ancora un aspetto selvaggio, fatto di monti, pianure, colline, spiagge. È famosa anche per i butteri, i *cow boy* italiani, che allevano cavalli.

I VULCANI

L'Italia è anche terra di vulcani... attivi. Tra i più famosi ci sono l'Etna, in Sicilia, Vulcano e Stromboli, sulle due isole omonime vicino alla Sicilia, e il Vesuvio, in Campania, vicino a Napoli.

Un giorno a Roma

Ecco una mappa stilizzata* di Roma, la capitale d'Italia. Siete pronti per una bella passeggiata? Usate il codice e scoprite i nomi di luoghi e monumenti.

✪=A	✳=I	♣=R
★=C	✚=L	◯=S
❤=D	▢=M	☆=T
✦=E	■=N	❖=V
●=F	✱=O	▼=Z
▲=G	◆=P	

A È la più grande fontana di Roma. Il progetto è dell'architetto Nicola Salvi (1732): il tema della fontana è "il mare". Al centro c'è una grande statua dell'Oceano su una conchiglia. Secondo una leggenda, se giri le spalle alla fontana e lanci una moneta, torni a Roma. Se giri le spalle e butti due monete, ti innamori e, se butti 3 monete... ti sposi!

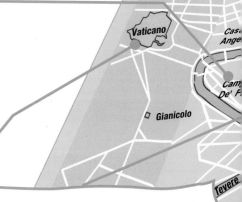

B Qui di giorno puoi vedere molti pittori che dipingono, mentre di notte è uno dei luoghi più amati da giovani e turisti. Ha una forma molto lunga, perché è stata costruita su un antico stadio* romano, lungo 276 metri e largo 54. Qui si trova la "Fontana dei Fiumi" di Gian Lorenzo Bernini.

◆ ✳ ✪ ▼ ▼ ✪   ■ ✪ ❖ ✱ ■ ✪
☐☐☐☐☐☐ ☐☐☐☐☐☐

Vaticano · Gianicolo · Tevere

D Nel 1537 Michelangelo costruì la piazza. Al centro della piazza c'è la statua dell'imperatore romano Marco Aurelio. Intorno alla piazza ci sono tre palazzi: il Palazzo Nuovo, il Palazzo Senatorio e il Palazzo dei Conservatori. Nel Palazzo Nuovo e nel Palazzo dei Conservatori ci sono i Musei Capitolini, i più antichi musei del mondo. Nel Campidoglio c'è anche la sede del Comune di Roma.

C È famosa per le sue colonne, progettate dall'architetto Gian Lorenzo Bernini (1598-1680). Al centro della piazza c'è un antico obelisco* egiziano. Davanti c'è la Basilica di San Pietro, la più grande chiesa del mondo cristiano. È stata costruita da grandi architetti, come Michelangelo Buonarroti, sul luogo dove si trova la tomba di San Pietro.

◆ ✳ ✪ ▼ ▼ ✪   ◯ ✪ ■   ◆ ✳ ✦ ☆ ❖ ✳
☐☐☐☐☐☐ ☐☐☐ ☐☐☐☐☐☐

◆ ✳ ✪ ▼ ▼ ✪   ❤ ✦ ✚
☐☐☐☐☐☐ ☐☐☐

★ ✪ ▢ ◆ ✳ ❤ ✱ ▲ ✚ ✱ ✱
☐☐☐☐☐☐☐☐☐☐☐

F È il monumento di Roma più famoso al mondo. Il suo vero nome è "anfiteatro Flavio" e fu inaugurato* nell'80 d.C. dall'imperatore Tito. Qui si svolgevano i combattimenti dei gladiatori e gli spettacoli di caccia e si eseguivano anche le pene di morte. Il suo nome deriva da una colossale statua dell'imperatore Nerone che era lì vicino.

1 Quali di questi aggettivi sono usati al superlativo relativo nel testo?

- [ ] amati
- [ ] antichi
- [ ] bella
- [ ] colossale
- [ ] famoso
- [ ] grande
- [ ] importante
- [ ] lunga

E Era il luogo più importante dell'antica Roma, il centro della vita politica, giuridica e sociale. Qui si trovavano la sede del senato romano, le tribune* dove parlavano gli oratori, il tempio di Vesta, la dea protettrice di Roma, la Via Sacra e la tomba di Romolo. Oggi è il più grande complesso* di monumenti dell'antica Roma.

2 🔊 **3** Trastevere è un pittoresco quartiere di Roma. Ascolta il brano su Trastevere e segna se queste frasi sono vere o false.

V F

1 Il nome Trastevere significa "sotto al Tevere". □ □

2 È sempre rimasto fuori dalla città vera e propria. □ □

3 Durante la Repubblica romana divenne il quartiere dei soldati. □ □

4 Durante l'impero romano diventò un quartiere grandissimo e ordinato. □ □

5 Papa Giulio II lo unì a San Pietro con due grandi strade. □ □

6 Oggi Trastevere è famoso per il suo aspetto pittoresco. □ □

GLOSSARIO

complesso: _____

inaugurato: _____

obelisco: _____

stadio: _____

stilizzata: _____

tribune: _____

CILS ESPRESSIONE ORALE

Immagina di essere una guida turistica e illustra ai tuoi compagni i monumenti di Roma.

Un'amica a Firenze

Ciao! Io mi chiamo Giulia e abito a Firenze. Io sono molto orgogliosa di essere fiorentina*, perché la mia città è bellissima! Vorrei farti conoscere i luoghi più interessanti, ti va?

La città dell'arte

Firenze è una delle città d'arte più famose nel mondo. Il suo centro storico è stato dichiarato Patrimonio Mondiale dell'Umanità dall'UNESCO. Nel Medio Evo era una delle più importanti città commerciali. Dal 1434 al 1737 fu sotto il dominio* della famiglia Medici. A questa famiglia appartennero la terribile Caterina de' Medici, che divenne regina di Francia, e Lorenzo de' Medici, grande uomo politico e mecenate*. A Firenze nacque la corrente artistica del Rinascimento, che si basava sull'idea classica di "armonia", "bellezza" e "centralità" dell'uomo nel mondo.

IL DUOMO

Il duomo di Firenze, Santa Maria del Fiore, è uno dei simboli della città e del Rinascimento. La sua costruzione, iniziata da Arnolfo di Cambio (1245-1302) è durata 170 anni! All'interno ci sono capolavori di grandi pittori come Paolo Uccello (1397-1475). Davvero straordinaria è la cupola, costruita da Filippo Brunelleschi (1377-1446). Brunelleschi, per primo, costruì una cupola senza sostegni* all'interno. Il campanile, progettato da Giotto (1267-1337), è un capolavoro di colori e leggerezza. Il Battistero di San Giovanni ha la meravigliosa porta di bronzo di Lorenzo Ghiberti (1378-1455), così bella da essere chiamata "Porta del Paradiso".

PONTE VECCHIO

Sul ponte ci sono bellissimi negozi di orafi*, con gioielli davvero magnifici! Sopra ai negozi si trova il Corridoio Vasariano, un lungo passaggio "segreto" che permetteva alla famiglia Medici di andare da Palazzo Pitti, dove viveva, a Palazzo Vecchio, sede del Governo. Oggi c'è un'importante galleria d'arte. In passato, su Ponte Vecchio c'erano i macellai: erano lì perché così non sporcavano la città, ma potevano buttare i rifiuti nel fiume Arno.

LA GALLERIA DEGLI UFFIZI

È un bellissimo e antico museo che ospita* la più grande collezione di opere dell'arte italiana dal Medio Evo al 1600. Tra i capolavori da non perdere la *Venere* di Sandro Botticelli (1445-1510), il *Tondo Doni* di Michelangelo, il *Battesimo di Cristo* di Leonardo da Vinci e il *Bacco* di Caravaggio (1571-1610).

PIAZZA DELLA SIGNORIA

Qui si trova Palazzo Vecchio, costruito da Arnolfo di Cambio nel 1299. Era sede del governo di Firenze e somiglia ad una fortezza. In effetti, Firenze era sempre in guerra e il governo aveva bisogno di un palazzo forte e resistente* contro i nemici.

Due passi per Firenze
Andiamo da Palazzo Pitti al Duomo: che strada fai? Cosa vedi?

GLOSSARIO

dominio: _____

fiorentina: _____

mecenate: _____

orafi: _____

ospita: _____

resistente: _____

sostegni: _____

Tutti a Venezia!

Ciao! Io mi chiamo Aldo e sono veneziano. Nella foto sono con la mia amica Lucia durante il carnevale di Venezia. Siamo in piazza San Marco! Venite con noi, facciamo un giro!

Le isole di Venezia

Venezia fu fondata tra il 500 e il 1000 dagli abitanti di molte città del Veneto che fuggirono sulle isole della laguna, per salvarsi dagli attacchi dei popoli dell'Est Europa. Oggi la città sorge su 118 isole! Le case appoggiano su pali di legno, come palafitte*!

La regina dei mari

Tra il 1100 e il 1400 Venezia diventò una città ricca e potente, sia in politica che nei commerci. Era la "regina dei mari" e commerciava con i Paesi del Mediterraneo e dell'Oriente. A partire dal 1500 il suo potere economico e politico cominciò a diminuire*. I Turchi, infatti, conquistarono il Mediterraneo e la scoperta dell'America aprì nuovi mercati.

La gondola

È il mezzo di trasporto più fotografato del mondo! Ha una forma particolare: il lato sinistro è più largo di quello destro, perché c'è solo una persona che rema*. Oggi le gondole sono nere, ma nel passato erano molto ricche e colorate. Poi, nel 1700, una legge vietò* di fare gondole troppo ricche e ordinò di colorarle di nero. Oggi i turisti siedono nelle gondole ma, in realtà, in gondola si sta in piedi!

L'acqua alta

Quando "c'è acqua alta" significa che parte delle isole di Venezia vengono coperte dall'acqua di mare. Dopo l'acqua alta, i veneziani che abitano a piano  terra devono lavare bene muri e pavimenti, perché il sale li danneggia. Oggi il MOSE (un sistema di barriere) cerca di risolvere il problema, ma i risultati non sono buonissimi!

1 Abbina ad ogni monumento la descrizione giusta.

A ☐ Palazzo Ducale

B ☐ Ponte della Costituzione

C ☐ Ponte di Rialto

D ☐ Ponte dei Sospiri

1 È uno dei 4 ponti di Venezia sul Canal Grande ed è il ponte più antico. Prima era un semplice ponte di barche, poi di legno (1250) e, infine, di pietra (1591), costruito dall'architetto Antonio da Ponte.

2 Qui abitava il Doge, il capo del Governo veneziano. Oggi ospita importanti musei e mostre d'arte.

3 Nel 1600 collegava Palazzo Ducale con le terribili prigioni dei Piombi. Per questo ha un nome così triste!

4 È il ponte più nuovo (2008) ed è dell'architetto spagnolo Santiago Calatrava. Si trova davanti alla Ferrovia.

Piazza San Marco

Prende il nome dalla famosa basilica costruita nell'832 e famosa per i suoi mosaici. In passato si chiamava "Piazza di sotto" o "Piazza della Rosa". Il campanile, in origine, era un faro per i marinai. Il campanile che vediamo oggi è una copia: l'originale è stato distrutto da un terremoto nel 1902.

GLOSSARIO

diminuire: _____

palafitte: _____

rema: _____

vietò: _____

3 La scuola

La scuola in Italia

Ciao a tutti, io sono Fabrizio, ho 18 anni e frequento il Liceo Classico a Roma. Sono all'ultimo anno e devo dire che mi dispiace lasciare il liceo… non voglio lasciare i miei amici! Ecco come funziona la scuola in Italia. Ho fatto una piccola ricerca…

L'anno scolastico

L'anno scolastico deve essere di almeno 200 giorni. Si inizia a settembre, ma il giorno può cambiare a* seconda delle regioni. In genere, devono tornare a scuola prima gli studenti del Nord, poi quelli del Centro e, infine, quelli del Sud. Per l'inizio delle vacanze estive, invece, si deve fare il contrario, iniziando dalla prima settimana di giugno. La differenza, comunque, è solo di pochi giorni. Le vacanze di Natale devono sono uguali per tutti: dal 23 dicembre al 7 gennaio. Quelle di Pasqua, invece, possono variare, perché possono durare da una settimana a una decina* di giorni a seconda delle regioni.

La scuola… in breve

- In Italia ci sono quasi 9 milioni di studenti.
- I ragazzi devono obbligatoriamente* andare a scuola dai 6 anni (o prima) fino ai 16 anni.
- La carriera scolastica obbligatoria è divisa in Scuola Primaria (5 anni) e Scuola Secondaria di Primo Grado (3 anni). Segue la Scuola Secondaria di Secondo Grado (5 anni) che non è obbligatoria. Prima dei 6 anni c'è la Scuola dell'Infanzia, anche questa non obbligatoria.

Una scuola che cambia

Cambia la società italiana e, quindi, cambia la scuola. L'Italia negli ultimi 10 anni è diventata sempre più internazionale e multirazziale. Gli studenti stranieri sono cresciuti del 21% negli ultimi anni e, in tutto, oggi sono 800 mila. Vengono soprattutto da Romania (i più numerosi), Albania e Marocco. Seguono gli studenti cinesi e ucraini. Le scuole organizzano corsi di lingua e civiltà italiana per facilitare l'integrazione*. Il "mediatore interculturale" deve creare una buona comunicazione tra la scuola e i ragazzi che vengono da altri Paesi.

BES e DSA

Negli ultimi anni la scuola ha dato particolare importanza all'inserimento* di studenti con difficoltà di apprendimento. La sigla BES significa "Bisogni Educativi Speciali" e la sigla DSA significa "Disturbi Specifici dell'Apprendimento". Per gli studenti che hanno bisogno di tempi, situazioni o attenzioni particolari, ci sono programmi e libri scolastici appositi*. Secondo il Ministero dell'Istruzione "La scuola italiana (…) vuole essere una comunità accogliente nella quale tutti gli alunni, a* prescindere dalle loro diversità (…) possono realizzare esperienze di crescita individuale e sociale".

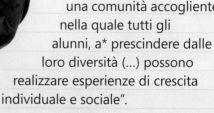
www.istruzione.it

Primaria e Secondaria

1 Ecco tre ragazzi italiani. In base all'età, prova a descrivere la vita scolastica di ognuno.

Jane ha 8 anni e vive
a Torino.

_____
_____
_____

Oscar ha 13 anni e vive
a Roma.

_____
_____
_____

Antonio ha 16 anni e vive
a Palermo.

_____
_____
_____

2 Rileggi la ricerca di Fabrizio e completa le frasi con il corretto verbo servile coniugato.

1 Fabrizio non _____ lasciare i suoi amici.
2 L'anno scolastico _____ essere di almeno 200 giorni.
3 Si inizia a settembre, ma il giorno _____ cambiare.
4 In genere, _____ tornare a scuola prima gli studenti del Nord.
5 Per l'inizio delle vacanze estive si _____ fare il contrario.
6 Le vacanze di Natale _____ essere uguali per tutti.
7 Quelle di Pasqua, invece, _____ variare.
8 Queste _____ durare da una settimana a una decina
   di giorni.

CILS ESPRESSIONE ORALE

Tu sei un "mediatore interculturale" e un tuo compagno è
uno studente che viene da un altro Paese. Fai allo "studente"
le seguenti domande:

• Come ti trovi in Italia?
• Quali sono le tue principali difficoltà?
• Che cosa vuoi raccontare ai tuoi compagni del tuo Paese?
• Come funziona la scuola nel tuo Paese?

Licei ed istituti

Un adolescente può scegliere se frequentare un Liceo
o un istituto tecnico o professionale. In Italia ci sono
vari tipi di Liceo: quello Classico (dove si studia latino
e greco), quello Scientifico (dove la matematica e
le scienze sono particolarmente importanti), quello
Artistico (dove si studiano le diverse forme di arte) e
quello Linguistico (dove si studiano le lingue straniere).
Gli altri tipi di scuole superiori si chiamano Istituti e
possono essere tecnici o professionali, da quello per
il turismo a quello per il commercio.

GLOSSARIO

a prescindere: _____

a seconda: _____

appositi: _____

decina: _____

inserimento: _____

integrazione: _____

obbligatoriamente: _____

Un normale martedì

Ciao io sono Caterina, una compagna di Fabrizio. Voglio raccontarvi una nostra normale giornata scolastica... quella di martedì scorso.

Ore sei e mezzo: suona la sveglia e devo prepararmi in fretta o arriverò in ritardo. La scuola comincia alle 8 e un quarto e devo fare* quasi un'ora di metropolitana! Come al solito arriverò un po' in ritardo e la campanella sarà già suonata! Infatti, quando arrivo, sono già tutti in classe!

Prima ora. La professoressa di Italiano, a sorpresa, dice che alla seconda ora ci sarà l'interrogazione! Non è una bella notizia: alla terza ora io avrò l'interrogazione di Latino! Fortunatamente Fabrizio va volontario*... non va molto bene in questo periodo e vuole avere un buon voto. Prende 7, bravo Fabrizio!

Suona la campanella dell'intervallo! Esco in fretta dall'aula, ma davanti al distributore* delle merendine* c'è già la fila e io sono l'ultima. Quando è il mio turno, la mia merendina preferita è già finita! Devo prendere le patatine...

Terza ora: c'è Latino e tocca a me. L'interrogazione va bene e mi rilasso.
La quarta ora va bene... facciamo un po' di conversazione di gruppo in inglese.

Finalmente la quinta ora! Il professore di Greco è molto severo, ma oggi non devo preoccuparmi: mi ha già interrogato la settimana scorsa.
Improvvisamente, però, sento il professore che dice: "Caterina, vieni alla lavagna e traduci questa frase di Senofonte". Oh, no!

IL MIO ORARIO SCOLASTICO

	Lunedì	Martedì	Mercoledì	Giovedì	Venerdì	Sabato
8.15	Inglese	Italiano	Storia	Fisica	Italiano	Greco
9.15	Educazione Fisica	Italiano	Latino	Educazione Fisica	Latino	Filosofia
10.10	Matematica	Latino	Religione	Storia	Fisica	Storia
11.20	Greco	Inglese	Italiano	Inglese	Matematica	Scienze
12.20	Latino	Greco	Filosofia	Storia dell'Arte	Scienze	/
13.15	Filosofia	Storia dell'Arte	/	/	/	/

Come tutti i Licei Classici, nei primi due anni abbiamo 27 ore di lezione a settimana, negli ultimi tre, invece, ne abbiamo 31. Noi andiamo a scuola anche il sabato: altri Licei no, ma fanno più ore dal lunedì al venerdì. Noi usciamo alle due e un quarto solo il lunedì e il martedì.

• Tu che scuola frequenti?
• Qual è il tuo orario scolastico?
• Qual è la tua materia preferita?

1 🔊 4 Le parole della scuola

Ora ascolta un brano di un articolo del quotidiano *La Repubblica*. Parla dell'Esame di Stato, detto "Maturità" che chiude la Scuola Secondaria. Ascoltalo bene e scrivi, vicino ad ogni definizione, la parola che ti sembra giusta. Le definizioni sono in ordine di ascolto.

1 _____ : (qui) studenti che si preparano all'Esame di Stato.
2 _____ : studenti che studiano nelle scuole private.
3 _____ : sinonimo di Esame di Stato.
4 _____ : gruppo di professori che interrogano gli studenti alla Maturità.
5 _____ : abbreviazione di "professori".
6 _____ : scuola privata con gli stessi diritti di quelle pubbliche.
7 _____ : studente privatista che sostiene l'Esame in una scuola statale.
8 _____ : somma di denaro che bisogna pagare per studiare o altro.

2 Un liceo storico di Milano

Lo ha fondato l'imperatrice Maria Teresa d'Austria nel 1774, con il nome di Regio Ginnasio di Brera. Qui hanno insegnato molti famosi scrittori italiani. Come si chiama oggi questo liceo? Trova nello schema 22 parole e scoprilo.

GLOSSARIO

distributore: _____
fare: _____
merendine: _____
volontario: _____

```
G R E C O L M I C I E L
P R I M A S E C O N D A
O S U O N A T A R T C T
R I L S F T R A A E S I
I N T E R R O G A R E N
T G S V A A P I M V T O
A L A E S D O O A A T E
R E B R E U L R T L I S
D S A O S R I N E L M A
O E T S I R T I R O A M
C O O G I E A U I S N E
E L A V A G N A A P A P
V O L O N T A R I O E P
A R S V E G L I A I N I
```

Università famose

In Italia ci sono moltissime università. Entriamo in quelle più antiche e prestigiose.

L'Alma Mater Studiorum di Bologna

È la più antica università del mondo occidentale. I primi documenti ufficiali sono del 1317, ma è stata fondata nel 1088. L'università nasce da una prestigiosa scuola di giurisprudenza*. Questa scuola, detta *Studium*, era nata da un gruppo di studenti che vollero scegliere personalmente e liberamente i loro professori. Lo *Studium* divenne importantissimo quando, con lo studio dei Codici* del Diritto Romano, pose* le basi di tutta la giurisprudenza europea. Oggi ha 23 facoltà* e qui studiano quasi 100 mila studenti. Ha sedi* anche a Cesena, Ravenna, Rimini e Buenos Aires (Argentina) e una scuola per l'eccellenza negli studi, il Collegio Superiore.

www.unibo.it

Il Politecnico di Milano

È un'università scientifico-tecnologica che crea tecnici, ingegneri e architetti tra i più bravi del mondo. Il suo metodo di studio si basa sulla ricerca, sulla sperimentazione e sul contatto diretto con le aziende. È stato fondato nel 1863 da un gruppo di studenti ed industriali delle più importanti famiglie di Milano. Oggi andare al Politecnico non è solo una garanzia per il futuro, ma un vero *status symbol*.

www.polimi.it

www.unicatt.it

Università Cattolica del Sacro Cuore

Si trova a Milano ed è la più grande università non statale in Europa e la più grande università cattolica del mondo. Ufficialmente, è stata fondata nel 1921 da padre Agostino Gemelli. La prima sede era in via Sant'Agnese 2. Oggi, invece, si trova vicino alla Basilica di Sant'Ambrogio. Oggi ha sedi a Brescia, Cremona, Piacenza, Roma e Campobasso. È una delle università più moderne nella ricerca e nell'insegnamento.

La Scuola Normale Superiore di Pisa

In realtà, non è un'università, come molti erroneamente pensano, ma un centro di ricerca. Nacque ufficialmente, per volontà di Napoleone, il 18 ottobre 1810 come succursale* dell'École Normale Supérieure di Parigi. Ha due indirizzi*: Lettere e Filosofia e Scienze matematiche fisiche e naturali. I "normalisti" sono, in realtà, studenti dell'Università di Pisa, ma devono seguire i corsi annuali alla Normale e avere voti molto buoni, altrimenti* vengono espulsi*.

www.sns.it

Università La Sapienza di Roma

È la più grande università d'Europa e la seconda nel mondo per numero di studenti, dopo l'Università del Cairo. È stata fondata nel 1303 da papa Bonifacio VIII. Oggi ha 11 facoltà, 20 musei e una scuola a statuto speciale, la Scuola di Ingegneria aerospaziale. È anche la sola università italiana tra le prime 100 del mondo.

www.uniroma1.it

1 Vero o falso?

	V	F
1 L'Alma Mater Studiorum è la più antica università del mondo occidentale.	☐	☐
2 Nacque da un gruppo di professori.	☐	☐
3 Il metodo di studio del Politecnico si basa sulla ricerca.	☐	☐
4 Al Politecnico hanno insegnato Premi Nobel.	☐	☐
5 L'Università Cattolica è la più grande università statale del mondo.	☐	☐
6 Si trova in via Sant'Agnese 2.	☐	☐
7 La Sapienza di Roma è stata fondata da Giovanni Paolo II.	☐	☐
8 È l'unica università italiana tra le prime 100 del mondo.	☐	☐
9 La Scuola Normale di Pisa non è un'università.	☐	☐
10 I suoi studenti si chiamano "normalisti".	☐	☐

2 La feluca

È il tradizionale cappello degli universitari.
Ogni facoltà ha la feluca di un colore diverso.
Abbina ad ogni feluca la facoltà giusta.

Gialla	A	☐	1	Ingegneria
Blu	B	☐	2	Matematica
Bianca	C	☐	3	Giurisprudenza
Nera	D	☐	4	Economia
Rossa	E	☐	5	Lettere
Verde	F	☐	6	Medicina

Il progetto Erasmus

Nato nel 1987, il Progetto Erasmus permette agli studenti universitari di studiare all'estero per un certo periodo di tempo. Ha permesso a più di un milione di giovani europei di studiare in università di altri Paesi. Di questi, più di 100 mila sono italiani.

GLOSSARIO

altrimenti: _____

codici: _____

espulsi: _____

facoltà: _____

giurisprudenza: _____

indirizzi: _____

pose le basi: _____

sedi: _____

succursale: _____

4 Vivere insieme

Gli italiani… in generale
La società è molto cambiata: vediamo come.

La famiglia

Secondo l'Istat le famiglie in Italia sono aumentate: oggi si* contano più di 24 milioni di famiglie, anche se il numero dei figli è diminuito. La famiglia in Italia è molto cambiata perché la società è molto cambiata. Oggi esistono tanti tipi diversi di famiglia: la famiglia con un solo genitore divorziato*, quella con un solo genitore *single*, la coppia senza figli e la famiglia allargata, cioè con figli di matrimoni precedenti. Ad ogni modo, "famiglia" significa sempre "amore" e "serenità". Oggi più che mai i doveri* sono divisi tra uomini e donne, perché gli impegni* quotidiani sono tanti ed è necessaria una buona organizzazione.

I *single*

Oggi in Italia si contano quasi 9 milioni di *single*: un aumento del 46% negli ultimi 10 anni. I motivi sono molti: molti divorziati non vogliono più sposarsi o si ha difficoltà a trovare un lavoro fisso e, quindi, si resta (o si ritorna) a casa dei genitori. Oppure, più semplicemente, non si vuole avere responsabilità e si preferisce "godersi*" la vita. Trovare l'amore, però, è sempre importantissimo.

In questo però sono molto diversi, soprattutto dopo i 40 anni. Le donne, infatti, trovano finalmente il tempo di dedicarsi a sé stesse, con palestra e cura del corpo, mentre gli uomini iniziano a praticare il *bricolage* (43%), o amano passare serate tranquille con gli amici o la famiglia (73%). Con gli anni che passano, avere tempo per sé diventa ancora più importante. Per tutti cinema, teatro, ristoranti e vacanze restano gli svaghi* preferiti.

Il tempo libero

Secondo l'Istat gli italiani hanno meno di 4 ore di tempo libero al giorno (la media più bassa d'Europa) e un grande bisogno di piccoli piaceri.

La classifica dei valori per gli italiani		La tua classifica di valori
1 avere una famiglia felice	90%	1 _____
2 avere più tempo libero	82%	2 _____
3 amare le cose belle (arte, paesaggi…)	68%	3 _____
4 essere in buona salute	51%	4 _____
5 difendere l'ambiente	48 %	5 _____
6 imparare cose nuove	43 %	6 _____

Facciamo due chiacchiere*?
Nelle loro conversazioni, ogni giorno gli italiani dedicano:

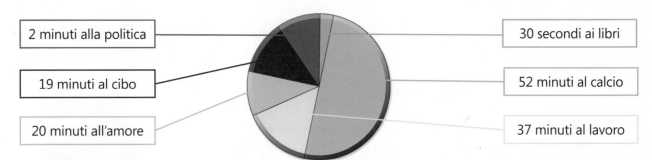

2 minuti alla politica		30 secondi ai libri
19 minuti al cibo		52 minuti al calcio
20 minuti all'amore		37 minuti al lavoro

1 Rispondi alle domande.

1 Perché i *single* in Italia sono aumentati?

_____

_____

2 Perché è necessario dividere i doveri in famiglia?

_____

_____

3 Perché si ritiene il tempo libero prezioso?

_____

_____

4 Noti dei contrasti nel modo di vivere degli italiani?

_____

_____

GLOSSARIO

divorziato: _____

doveri: _____

due chiacchiere: _____

godersi: _____

impegni: _____

si contano: _____

svaghi: _____

ISTAT

È l'Istituto Nazionale di Statistica. Nato nel 1926, è un istituto indipendente e ha lo scopo di fare ricerche sulla società italiana.

www.istat.it

2 Gli italiani hanno la passione dei corsi. Soprattutto dei corsi di... trova nello schema 19 parole e scoprilo.

```
V A C A N Z E S O L O
C F A M I G L I A S D
U I B P A O R E S E O
R G C I N E M A V R V
A L L A R G A T A A E
L I L C O C M L G T R
L I B E R O O A H E I
T I N R O R R A I M C
A N N I E P E R I C A
A B R I C O L A G E S
N G E N I T O R I O A
```

_ _ _ _ _

_ _ _ _ _ _ _ _ _ _ _ _

Paese che vai...

... usanze che trovi, dice un proverbio. Abbiamo intervistato quattro ragazzi che hanno passato un mese in Italia per imparare la lingua. Scopriamo che cosa li ha colpiti* del nostro modo di vivere.

Io sono Fiona, ho 19 anni e sono irlandese, di Galway.
Mi ha colpito il rapporto degli italiani con il cibo. In Italia si mangia ad orari precisi: a colazione, a pranzo e a cena.
Io invece sono abituata a mangiare quando ho fame, anche fuori pasto quindi. Da voi si cura molto la preparazione dei cibi e della tavola. Anche se a pranzo si mangia qualcosa di veloce, a cena si mangia con calma e si passa un po' di tempo a tavola. Mi ha colpito anche la cura per i vestiti. Non sono maniaci della moda, ma tutti amano vestire "bene", cioè abbinare* bene tessuti e colori e indossare vestiti che stanno bene addosso*.

Salve! Io mi chiamo Sally e sono australiana, di Sidney.
Mi ha colpito la gentilezza dei ragazzi italiani. Ti aiutano sempre se sei in difficoltà e sono molto galanti*. Amano corteggiare* le ragazze ma spesso questo è solo un gioco! Spesso significa solo che sei simpatica. Un'altra cosa che mi ha colpito è la mania per la pulizia. È difficile trovare una casa sporca o disordinata. E non parliamo della cura del corpo! Secondo me, spendono una fortuna* in saponi, creme e palestre.

Ciao! Io sono Lassi e sono di Tampere, in Finlandia.
Mi ha colpito molto che gli italiani, quando ti parlano, ti toccano. Lo fanno per abitudine e non* se ne accorgono nemmeno, ma a me ha dato fastidio. Non sono così socievoli* come si dice, però sicuramente amano la gente che sorride. Se avete bisogno di qualcosa, chiedetelo con un sorriso. Sicuramente sono ospitali. Ti invitano a casa, al bar o in pizzeria. Spesso si paga a turno: una volta per uno. Comunque, capita anche di pagare "alla romana", cioè ognuno per sé.

Mi chiamo Adelheid e sono olandese, di Amsterdam.
Ho scoperto delle cose incredibili: "gli spaghetti alla bolognese" non esistono in Italia e gli italiani sono molto puntuali. E poi sono frenetici*! Lavorano moltissimo e non si riposano mai. Devono sempre fare qualcosa! A volte però non rispettano le regole... soprattutto nel traffico! Forse perché hanno sempre fretta e vogliono fare cento cose tutte insieme.

Negozi: al mattino aprono verso le 9 e chiudono verso le 12.30. Nel pomeriggio aprono tra le 4 e le 5 e chiudono tra le 7 e le 8.
Pasti: al Sud si tende a mangiare più tardi. Se a Milano si pranza all'una e si cena alle sette, a Palermo si pranza alle due e si cena alle dieci.
Uffici postali: in genere fanno orario continuato dalle 8.30 alle 18.30.

GLOSSARIO

abbinare: _____

addosso: _____

colpiti: _____

corteggiare: _____

fortuna: _____

frenetici: _____

galanti: _____

se ne accorgono: _____

socievoli: _____

1 Vero o falso?

V F

1 In Italia in genere si mangia fuori pasto. ☐ ☐
2 Si cura molto la preparazione della tavola. ☐ ☐
3 A pranzo si mangia con tutta calma. ☐ ☐
4 Vestire bene significa seguire la moda. ☐ ☐
5 Gli italiani non amano perdere tempo. ☐ ☐
6 Gli italiani amano la gente che sorride. ☐ ☐
7 Al bar si offre sempre a turno. ☐ ☐
8 Si può pagare anche "alla romana". ☐ ☐

2 In posta
Sei in un ufficio postale e devi spedire una lettera raccomandata. Completa il dialogo.

destinatario   normale   compili   ricevuta

Impiegato: Buongiorno!
Tu: Buongiorno, dovrei spedire questa lettera.
Impiegato: Posta _____ ?
Tu: No, raccomandata.
Impiegato: Con _____ di ritorno?
Tu: Sì, grazie.
Impiegato: Allora, _____
   questo modulo per il _____
   e quest'altro con il suo indirizzo.
Tu: Fatto... Quant'è?
Impiegato: Sette e quaranta.
Tu: Ecco a lei, buona giornata.

3a 🔊 5 Ascolta il dialogo. Dove sono i personaggi? Di che cosa stanno parlando? Segna la risposta giusta.

☐ in un negozio   ☐ bevono qualcosa   ☐ comprano un vestito
☐ al bar   ☐ spediscono un pacco   ☐ discutono su chi deve pagare

3b Hai ascoltato il dialogo? Che cos'è un "macchiato freddo"? Usa il codice e scoprilo.

✪=A ✱=I ✿=R
★=C ✚=L ○=S
❤=D ■=N ☆=T
✦=E ✸=O ✪=U
●=F ▲=P

5 I giovani

I giovani e…

… la musica

Ha una parte fondamentale* nella loro vita. Il 94% dei ragazzi ne ascolta tutti i giorni e moltissimi la condividono con gli amici. Condividere canzoni e *playlist* è un modo importante per sentirsi parte di un gruppo. Le ragazze condividono musica più dei ragazzi. Per l'89% dei giovani parlare di musica è un modo per esprimere le proprie emozioni e un modo per conoscere meglio le altre persone. Pochissimi sanno suonare uno strumento musicale.

… il cinema

Il 61% dei giovani preferisce i film americani a quelli italiani, perché più spettacolari*, più "veloci". Amano soprattutto la commedia (25,7%), i *thriller* (18,2%), i film di avventura (11,9%) e il *Fantasy* (10,2%).

Per i giovani la trama* è più importante degli attori del film: non vanno al cinema per vedere le *star*, ma per vedere belle storie. Gli effetti speciali sono più importanti per i ragazzi che per le ragazze.

… la lettura

Purtroppo la lettura ha perso molta importanza per i giovani, per lo meno* la lettura sui libri. I ragazzi

GLOSSARIO

fondamentale: _____

maggioranza: _____

mezzi: _____

per lo meno: _____

spettacolari: _____

spontaneità: _____

trama: _____

1 Metti in ordine

1 le altre persone. / parlare di musica / Per i giovani / e per conoscere meglio / le proprie emozioni / è un modo per esprimere

_____

2 a quelli italiani, / dei giovani / i film americani / perché / preferisce / più spettacolari. / Il 61%

_____

3 la trama è / Per / del film. /più importante / i giovani / degli attori

_____

4 non un modo per / è / uno svago, / La / soprattutto / lettura / cose nuove. / conoscere

_____

5 vestiti. / Il 50% / e il 30% / spende la paghetta / per andare / dei giovani / per comprare / al cinema

_____

6 con associazioni / I giovani / migliorare / o per la difesa / vogliono / di volontariato / dell'ambiente. / la società

_____

leggono soprattutto tramite *internet*, *iPad* o *iPhone* e leggono soprattutto per divertirsi e uscire dalla loro realtà. La lettura, in questo senso, è soprattutto uno svago, non un modo per conoscere cose nuove.

I generi preferiti sono il *Fantasy* e, per le ragazze, i romanzi d'amore. Sempre molto interessanti i libri che parlano di storie di adolescenti.

... il denaro

Secondo una ricerca del Ministero della Pubblica Istruzione, i giovani utilizzano la "paghetta", cioè i soldi dati dai genitori ogni settimana, soprattutto per le spese relative al divertimento: la maggioranza* li spende per uscire la sera con gli amici e, tra questi,

Libri – circa 10 all'anno. Le ragazze leggono più dei ragazzi
Tv – la guardano per circa 3 ore al giorno
Cinema – una volta la settimana
Computer – lo usano per circa 4 ore al giorno

il 50% per andare al cinema. Per il resto, circa il 30% usa i propri soldi per comprare vestiti e il 25% per comprare libri o accessori tecnologici.

... l'impegno sociale

Purtroppo i giovani si stanno allontanando dalla politica. La percentuale dei ragazzi "politicamente impegnati" è diminuita, anche se resta il desiderio di migliorare la società (soprattutto tra i 18 e 30 anni) però con mezzi* diversi dalla politica, come per esempio le associazioni di volontariato, quelle per la difesa dell'ambiente o quelle religiose.

... gli eroi

I giovani amano la semplicità, la spontaneità* e l'ottimismo. Molto amato resta Nelson Mandela (57%), primo presidente sudafricano dopo l'*apartheid* e premio Nobel per la pace nel 1993, scomparso nel 2013. Molto amato per la sua semplicità anche il calciatore Lionel Messi (49%). Anche l'ex presidente americano Barack Obama continua ad essere un esempio per i giovani (38%).

2 🔊 6 "Io non ho paura" è il titolo del romanzo più famoso dello scrittore Niccolò Ammaniti. Ascolta l'inizio del romanzo e rispondi alle domande.

1 Come si chiamano i protagonisti? _____

2 Che relazione c'è tra loro? _____

3 Sono da soli? _____

4 Dove si trovano? _____

5 Che cosa stanno facendo? _____

6 Che cosa fa una dei protagonisti? _____

3 Nella foto vedi uno dei più amati cantanti italiani. Trova nello schema i comparativi e i superlativi di questi aggettivi. Le lettere che restano danno il nome del cantante e il titolo di un suo grandissimo successo.

	Comparativo	Superlativo
BUONO		
CATTIVO		
GRANDE		
PICCOLO		

```
T I P Z I A N O M
F M E E M R R O A
M I G L I O R E G
E N G D N E O R G
O I I C O O T N I
T M O E R N T T O
I O R S E S I I R
M P E S S I M O E
M A S S I M O O ■
```

Generazione Z

È la generazione dei ragazzi nati dopo il 2000. È la generazione dei "nativi digitali", cioè che è nata e cresciuta con la tecnologia.

Il cellulare

Ormai per i giovani è... una parte di sé. Se per il 73% degli italiani il cellulare è diventato indispensabile*, come un piccolo computer da tasca, per i ragazzi è un importantissimo strumento di comunicazione e, in certi casi, una "rappresentazione" di se stessi. Ormai il 91% dei ragazzi tra i 14 e i 18 anni ha il cellulare. Lo usano soprattutto per navigare in rete* (86%), per divertirsi e per essere in contatto con gli amici sui *social network* (70%). Fotografano e postano* sui *social* diversi momenti della loro giornata e scambiano continuamente video. Il PC di casa viene usato, invece, per studiare e utilizzato per circa un'ora al giorno.

Social network e TV

Metà della popolazione italiana è su Facebook, di questa quasi l'80% è formata dai giovani sotto i 30 anni. Youtube ha il 42% di utenti* (72,5% tra i giovani), mentre Twitter non è molto usato. Per quanto riguarda la televisione, il successo delle *web tv* continua a crescere. Anche la radio sta aumentando i suoi utenti: con il cellulare, infatti, è possibile ascoltarla comodamente dappertutto.

Un mondo connesso

Su una popolazione mondiale di 7 miliardi e mezzo di persone, gli utenti di *internet* sono 3 miliardi e mezzo. Di questi più di 2 miliardi di persone utilizzano i *social network* che, ormai, sono diventati una parte importante della nostra vita quotidiana. Secondo gli esperti, però, un uso eccessivo del cellulare e dei *social* in realtà impedisce* ai ragazzi di diventare autonomi e limita i rapporti personali.

E tu? Usi il cellulare? Come?
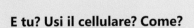

_____

_____

_____

"WhatsApp è comodissimo e io e miei amici lo usiamo continuamente.
Il problema sono i gruppi... troppi messaggi".

Samuele (Siracusa)

"Se voglio conoscere qualcuno, lo contatto prima su Facebook... è più facile!"

Federica (Parma)

GLOSSARIO

impedisce: _____

indispensabile: _____

postano: _____

rete: _____

utenti: _____

1 Nei messaggi si usano molto le abbreviazioni. Ecco quelle più usate. Scrivi vicino ad ognuna il significato giusto.

> Ci vediamo domani   Torno più tardi
> Ti voglio tanto bene   Come stai?
> Mi manchi moltissimo   Comunque ricordati di me

1 Cost? _____

2 MMM _____

3 T+T _____

4 cmnq rdm _____

5 Vedom _____

6 TVTB _____

2 Ecco una telefonata al cellulare. Mettila nell'ordine giusto.

1 Sì, so dov'è. Ma chi viene?

2 Bene! Ci vediamo venerdì allora! Un bacione.

3 La cena? Bene! Dove?

4 Certo che vengo! Pensavo anche di portare Caterina...

5 Ciao, Nicola! Ma hai sempre il cellulare spento?

6 Ciao, Loredana! Che piacere!

7 Sono sicuro che vi piacerà... è molto simpatica!

8 No! È solo che c'è poco campo qui. Dimmi tutto, come stai?

9 Fantastico! Così almeno conosceremo questa misteriosa ragazza!

10 Abbastanza bene, grazie. Ti chiamavo per la cena di venerdì.

11 Alla pizzeria Buongusto, dietro piazza Garibaldi.

12 Praticamente tutti. Tu vieni vero?

6 ☐ ☐ ☐ ☐ ☐ ☐ ☐ ☐ ☐ ☐ ☐

Emozioni

Genitori, amore, amici… che emozioni ci danno? Cosa cercano in loro i giovani? Scopriamolo grazie alla testimonianza di Angela, ad un articolo di giornale e ai messaggi di un forum.

Io e i miei genitori

Io vado d'accordo con i miei genitori, ma a volte mi sembra che pretendano* troppo da me: buoni voti, buoni risultati nello sport, una buona vita sociale...
Il problema è che li vedo poco perché loro lavorano tutto il giorno. Chissà... forse pensano che se ho il fidanzato, degli amici e dei buoni voti, io sia felice e soddisfatta. In effetti lo sono ma, a volte, vorrei semplicemente parlare di più con loro, averli più presenti, più vicini a me.

Angela – 17 anni (Brescia)

I ragazzi italiani e l'amore

"Sono bravi ragazzi. Non amano la trasgressione, sognano un amore eterno ma sono abbastanza realisti* da non illudersi di averlo già trovato. Non parlano con i genitori. Tradizionalisti, niente tradimenti, meglio la gelosia, non* sono facili alla confidenza e non danno molta importanza al sesso. Se arriva, meglio, ma se non arriva pazienza*. Perché l'importante è l'amore, con la A maiuscola. E la famiglia che verrà. Gli adolescenti delle spiagge italiane non sono più quelli di una volta. L'avventura* da vacanze non fa per loro, sono concentrati e seri e se pensano al futuro pensano sì alla famiglia ma anche al lavoro".

Paolo di Stefano – tratto dal quotidiano Il Corriere della Sera

---

1 Segna il significato giusto di queste espressioni.

1 Niente tradimenti.
   a ☐ Non amano i tradimenti
   b ☐ Non tradiscono più.

2 Se non arriva, pazienza.
   a ☐ E non arriva, sanno aspettare.
   b ☐ Se non arriva, non importa.

3 Gli adolescenti delle spiagge.
   a ☐ I ragazzi che ora sono in vacanza al mare.
   b ☐ I ragazzi delle città sul mare.

4 L'avventura da vacanze.
   a ☐ Il grande amore che ti rende speciale.
   b ☐ I brevi amori che nascono in vacanza.

AMICIZIA

 Ciao! Mi chiamo Babu, sono di Viareggio e non ho amicizie perché ho litigato già* da un pezzo con tutti quelli che conoscevo. Chi ha coraggio, risponda!

 Ho un messaggio nel cuore per Nuvola: tu mi conosci più di chiunque altro. Sai cosa voglio dire, prima che io apra* bocca. Sei la persona che mi è più vicina, la sola che mi abbia aiutato nei momenti brutti, che non smetterò mai di ringraziare per quello che mi ha dato e che mi permette continuamente di dare. La tua felicità, per me, è più importante della mia.

 Ho trovato questo forum per caso. Non so bene perché io sia qui... può essere che io abbia solo bisogno di parlare un po'... e qui ho l'illusione che qualcuno mi ascolti.

 Ehi! Cerco nuovi amici! Qualcuno abita a Padova? Io mi chiamo Roberto, ho 18 anni e amo tutti gli sport!

San Valentino

Fu vescovo di Terni (in Umbria) e fu martirizzato il 14 febbraio 273. Oggi è il santo degli innamorati per aver celebrato un matrimonio tra un soldato romano e una ragazza cristiana. A Terni, il 13 febbraio, gli innamorati partecipano alla "messa della promessa", durante la quale si scambiano amore eterno.

La casa di Giulietta

Si trova a Verona, in via Cappello 23. Dal famoso balcone, la Giulietta di Shakespeare parlava al suo Romeo. Qui c'è anche il "Club Giulietta" che, ogni anno, premia la lettera d'amore più bella. Nel cortile della casa c'è una statua di Giulietta: toccarla porta fortuna in amore.

GLOSSARIO

apra bocca: _____

avventura: _____

già da un pezzo : _____

non... confidenza: _____

pazienza: _____

pretendano: _____

realisti: _____

vezzeggiativi: _____

2 Quali sono i vezzeggiativi* più usati tra gli innamorati? Trova nello schema queste parole e scoprilo.

- [ ] a volte
- [ ] continuamente
- [ ] da un pezzo
- [ ] di rado
- [ ] già
- [ ] mai
- [ ] prima
- [ ] quasi mai
- [ ] sempre
- [ ] spesso
- [ ] tutto il giorno
- [ ] una volta

M	A	I	T	P	P	D	C
A	S	S	U	E	R	A	O
R	O	T	T	T	I	U	N
O	U	E	T	O	M	N	T
Q	N	R	O	S	A	P	I
U	A	G	I	A	S	E	N
A	V	O	L	T	E	Z	U
S	O	S	G	D	M	Z	A
I	L	P	I	I	P	O	M
M	T	E	O	R	R	A	E
A	A	S	R	A	E	C	N
I	C	S	N	D	H	I	T
O	T	O	O	O	T	O	E

Ma come parli?

Ogni giorno nascono moltissime parole nuove tra i giovani. Sono parole inventate che spesso durano pochi mesi. Altre volte, invece, entrano addirittura* nel vocabolario della lingua italiana. Sono le parole dello *slang*.

Per i ragazzi appartenere ad un gruppo è importantissimo. Significa essere accettati e fare visibilmente parte di una comunità. Ogni gruppo ha le sue caratteristiche e, quindi, la sua lingua. Si tratta sempre di una lingua inventata, che cambia molto velocemente, che solo i ragazzi possono capire e che permette loro di escludere* gli adulti dal loro mondo.

Allo stesso tempo permette di verificare* se gli adulti sono davvero interessati al mondo giovanile. Infatti, se questi vogliono capire o usare lo *slang*, allora dimostrano interesse per la vita dei giovani.

La nascita dello *slang* deriva, in parte, dalla scomparsa dei dialetti. Nel passato il dialetto serviva per esprimere le proprie emozioni quando si parlava con amici e familiari. Oggi questa emotività* è espressa dallo *slang*. In genere le regole "grammaticali" dello *slang* sono 3:

1 Accorciare* le parole ("mate" per "matematica")

2 Raddoppiare le parole "da paura" per "bellissimo" o "moltissimo")

3 Ridicolizzare l'uso eccessivo della lingua inglese ("genitors" per "genitori")

GLOSSARIO

accorciare: _____

addirittura: _____

emotività: _____

escludere: _____

verificare: _____

1 Ecco alcune delle frasi in *slang* che ormai sono usate comunemente. Abbina ad ognuna il significato giusto.

1 ☐ Sto in sclero!

2 ☐ Non ci sto dentro!

3 ☐ Sei in para?

4 ☐ Non esiste!

5 ☐ Come butta?

6 ☐ Una cifra!

7 ☐ Vaitra!

8 ☐ Ti ho sgamato!

a Moltissimo

b Sono molto nervoso!

c Ho capito le tue intenzioni!

d Sei malinconico e nervoso?

e Questo non è adatto a me!

f Come va?

g Non è assolutamente possibile!

h Stai tranquillo!

2 Ecco un dialogo tra due amici. Completa con lo slang giusto.

> se la tira
> datti una mossa
> sbalconato
> fare un giro

– Dai Alberto sbrigati! Siamo in ritardo, _____
_____

– Arrivo! In fondo dobbiamo solo _____
_____ , una passeggiata! Niente di importante!

– Lo sai che Luigi non ama aspettare! _____
_____ un sacco lui!

– E aspetterà! È proprio _____
_____ quel tipo!
Sempre nervoso!

3 Questa è la pubblicità di un tablet. Ci sono due frasi in *slang*. Trovale e indovina il loro significato.

ORGANIZZATI ALLA GRANDE!
• Maxi schermo FULL H-D
• Materiali ultrarestenti
• Apps incluse da sballo!
Dimensione schermo: 18.4"

1 _____

2 _____

4 Traduci in slang questo messaggio di WhatsApp.

> Oggi sono proprio nervoso! 😰
> C'è la verifica di matematica e, anche se Gianni mi dice di stare tranquillo, questo non è assolutamente possibile! 😄
> Il professore di matematica pensa che questa verifica sia molto importante: devo studiare tanto! 😭😖   14:06 ✓✓

Usa lo *slang* e scrivi uno slogan sull'importanza dell'amicizia.

_____

_____

_____

6 Il mondo del lavoro

Grandi aziende

In Italia ci sono molte aziende famose in tutto il mondo. Eccone alcune.

FIAT

La FIAT (Fabbrica Italiana Automobili Torino), una delle case* automobilistiche più famose del mondo, è nata a Torino nel 1899 e la prima automobile fu creata nel 1900: era una due/tre posti che non aveva la retromarcia*! Con Gianni Agnelli, nominato Presidente dell'azienda nel 1966, la FIAT diventa una multinazionale. Vengono creati molti modelli famosi, come la Topolino, la 500, la Punto, la Ducato, ecc. La FIAT è presente in 61 nazioni con oltre 1000 aziende. Oggi la 500 è tornata di gran moda con i nuovi, modernissimi modelli.

RAINBOW

È lo studio di animazione* che ha creato alcuni dei personaggi dei cartoni animati più famosi al mondo, come *Tommy & Oscar*, le *Winx* o la *Regal Academy*. Famosissime e molto amate anche *Maggie & Bianca Fashion Friends*. Fondata da Iginio Straffi nel 1994, ha realizzato anche diversi film per il cinema, musical e, a Roma, ha fondato il parco di divertimenti *Rainbow MagicLand*.

LAVAZZA

È stata fondata da Luigi Lavazza nel 1895 a Torino. In origine era solo un piccolo negozio nel centro della città, ma oggi il nome Lavazza è quasi sinonimo* di "caffè". Molti i gusti* e i prodotti, dal caffè più delicato a quello più robusto*, dalla polvere* di caffè per la moka fino alle cialde* per le macchine da caffè. Sul sito ufficiale ci sono anche tante ricette a base di caffè e tante curiosità.

TOD'S

Tod's è un marchio* famosissimo che produce scarpe e accessori* di lusso. È stata fondata all'inizio del '900 da Filippo Della Valle e, grazie a Diego e Andrea Della Valle, è diventata un marchio mondiale. Toyo Ito, il noto architetto giapponese, è l'ideatore del negozio *Tod's* di Tokyo. L'edificio, in vetro e cemento, è alto 27 metri ed ha, sulla facciata, la *silhouette* di un albero. Non un albero reale, però, ma il suo riflesso inserito al computer.

PRADA

Grande marchio della moda italiana, è stata fondata da Mario Prada nel 1913, ma è diventato famoso in tutto il mondo grazie a Mariuccia. Ha moltissimi negozi e alcuni sono opere d'arte. Quello a Beverly Hills è opera degli architetti Rem Koolhaas e Ole Scheerened e occupa circa 25.000 mq, 13.000 dei quali dedicati alla vendita.

1 Ecco altre famose aziende italiane. Abbina il loro nome al prodotto giusto.

1 ☐ Aprilia   **a** Gioielli

2 ☐ Bulgari   **b** Cioccolata e dolci

3 ☐ Gucci   **c** Abbigliamento

4 ☐ Ferrari   **d** Automobili di lusso

5 ☐ Ferrero   **e** Elettrodomestici

6 ☐ Ariston   **f** Moto

GLOSSARIO

accessori: _____

animazione: _____

case: _____

cialde: _____

gusti: _____

marchio: _____

polvere: _____

retromarcia: _____

robusto: _____

sinonimo: _____

2 🔊 7 Ascolta il brano audio e poi rispondi.

	V	F
1 Il Gruppo Benetton ha festeggiato i suoi primi 30 anni di attività.	☐	☐
2 Il Gruppo ha festeggiato la ricorrenza con una sfilata di moda.	☐	☐
3 L'evento si è tenuto al Colosseo, a Roma.	☐	☐
4 L'apertura del primo negozio Benetton è stata nel boulevard St. Germain di Parigi nel 1969.	☐	☐

Grandi scuole

Avete mai pensato al vostro futuro lavoro? Ecco le esperienze di tre studenti italiani che frequentano scuole prestigiose e molto particolari…

Accademia d'Arte Drammatica Silvio D'Amico

"Mi chiamo Marcella e frequento, da un anno, l'Accademia d'arte drammatica Silvio D'Amico di Roma. Ho scelto questa scuola perché adoro recitare e vorrei diventare un'attrice di teatro. L'indirizzo* che seguo è quello in "recitazione". Le mie materie preferite sono *Interpretazione*, *Mimo e maschera* e *Recitazione in versi*. Ogni anno, insieme ad alcuni attori e registi professionisti, noi studenti prepariamo alcuni spettacoli e li presentiamo al pubblico. È molto impegnativo, ma anche molto emozionante."

www.accademiasilviodamico.it

www.accademiaitaliana.com

Accademia italiana di arte, moda e design

"Io sono Caterina e frequento l'ultimo (cioè il sesto) semestre del corso in *Stilismo di moda* dell'Accademia italiana di arte, moda e design di Firenze. Ho scelto questa scuola perché adoro creare abiti e mi piacerebbe diventare stilista. Qui ho imparato a conoscere i vari stili di abbigliamento (sportivo, elegante, casual, avanguardia), creare il design, creare i modelli. Il momento più esaltante* è preparare le sfilate* di moda."

Scuola del vetro Vincenzo Zanetti

Sono Armando, abito a Venezia e frequento, a Murano, la Scuola del vetro Vincenzo Zanetti. Alla fine della scuola, che dura due anni, vorrei diventare un'artista del vetro. Fino ad oggi, le mie materie preferite sono state *Incisione* e *Decorazione a smalto*. Ho già realizzato qualche oggetto e vorrei aprire un negozio tutto mio."

www.abatezanetti.it

GLOSSARIO

esaltante: _____

indirizzo: _____

sfilate: _____

CILS ESPRESSIONE ORALE

Immagina di lavorare per un'azienda.
Di che cosa si occupa? Qual è il tuo ruolo?

www.snc.it

1   Alla scuola nazionale di cinema di Roma si possono seguire molti corsi. In base alle materie e seminari elencati, scrivi il nome del corso.

ANIMAZIONE   SCENOGRAFIA   RECITAZIONE   SCENEGGIATURA   REGIA   FOTOGRAFIA

_____	_____	_____	_____	_____	_____
Stampa di foto	Scrittura di un film	Arredamento degli ambienti	Dizione	Disegno dal vero	Studio dell'inquadratura
Lavoro in camera oscura	Studio dei copioni	Creazione del costume	Movimento scenico	Programmi grafici	Analisi del film
Caratteristiche delle pellicole	Analisi dei personaggi	Trucco	Canto	Montaggio	Montaggio del film
Composizione dell'inquadratura	Adattamento di una storia	Visite a sartorie	Doppiaggio	Sceneggiatura per l'animazione	Direzione di una troupe
Illuminazione e fonti di luce	Analisi della struttura narrativa	Scenografia virtuale	Recitazione	Fondamenti di animazione	Preparazione di un corto o lungometraggio
Linguaggio cinematografico	Storia della televisione	Acconciatura	Mimica e danza	Storia e linguaggio del cinema di animazione	Studio della macchina da presa

7 La società multietnica

Vivere insieme, vivere bene

Gli extracomunitari* in Italia sono più di 5 milioni: l'8,3% della popolazione totale. Ecco tre storie di successo.

Inácio e l'amore per la fotografia

Inácio è brasiliano, viene da Belo Horizonte ed è arrivato a Roma cinque anni fa. Dice: "Lavoravo al mercato della frutta, a Campo de' Fiori, poi però ho conosciuto un fotografo che ha il negozio lì vicino. La fotografia è la mia passione e lui l'ha capito! La sera, dopo il lavoro, lo aiutavo e imparavo il mestiere* e ora anche io sono fotografo! Mi sono specializzato in ritratti* e paesaggi. L'anno prossimo aprirò il mio studio personale, uno studio piccolissimo ma mio!".

	Ecco le 10 nazionalità più numerose in Italia	
1	Romania	1.151.395
2	Albania	467.687
3	Marocco	437.485
4	Cina	271.330
5	Ucraina	230.728
6	Filippine	165.900
7	India	150.456
8	Moldova	142.266
9	Bangladesh	118.790
10	Egitto	109.871

Wong: una giovane stilista

Wong viene da Tientsin, in Cina. "Sono arrivata a Milano 7 anni fa e ho frequentato una scuola di moda e *design*. La sera lavoravo in un ristorante per pagare la scuola: è stato un periodo faticoso, ma ora ho la mia sartoria* personale. Lavoro anche per giovani stilisti italiani: siamo tutti giovani ma molto determinati*!
Milano è la città della moda e io ci sono dentro! È fantastico!"

Larysa, da Kiev a Torino

Larysa, ucraina, ha 38 anni. "In Ucraina mia nonna mi ha insegnato a conoscere le proprietà curative* delle piante. Quando sono arrivata in Italia, 15 anni fa, ho cominciato a lavorare in una erboristeria: preparavo medicine naturali e prodotti di bellezza. Ora sono socia* del negozio. I torinesi mi hanno accolto bene: ormai Torino è la mia città".

Ecco alcuni interventi tratti dal forum del sito
www.stranieriinitalia.it

Siti utili

www.stranieriinitalia.it
www.sportelloimmigrazione.it
www.interno.gov.it/it/temi/cittadinanza-
e-altri-diritti-civili/cittadinanza

> Voglio sposare una ragazza marocchina. Il consolato marocchino in Italia non le rilascia il nulla* osta. Che devo fare? Qualcuno ha esperienza in materia? Grazie.

> Ciao a tutti, ho visto in diversi uffici pubblici degli stranieri che lavorano: vorrei sapere se ci sono concorsi o altri modi per entrare nella Pubblica Amministrazione per gli immigrati extracomunitari laureati in Italia.

> Mi potete dire per favore se con il cedolino* di rinnovo* del permesso di soggiorno posso andare a casa, per le vacanze, anche in nave? Oppure è possibile solo in aereo con viaggio diretto? Grazie.

1 Queste sono le regole per avere una borsa di studio in Italia. Completale con la parola giusta.

accordi   esenti   limite   lingua   titolo di studio   visto d'ingresso

1 Ciascun borsista deve entrare in Italia già munito di _____ , valido per tutta la durata della borsa ottenuta. Sono _____ i cittadini degli Stati membri dell'Unione europea di quei Paesi che hanno _____ speciali con l'Italia in questo settore.

2 Conoscere la _____ italiana.

3 Avere il _____ richiesto per l'iscrizione alla scuola scelta.

4 Non superare il _____ di età indicato.

2 Abbina ad ogni parola il significato giusto.

1 ☐ Permesso di soggiorno

2 ☐ Certificato di residenza

3 ☐ Ricongiungimento

4 ☐ Lavoro nero

5 ☐ Contratto di soggiorno

a Vivere con la propria famiglia dopo un periodo di lontananza.

b Documento che consente all'extracomunitario di poter soggiornare in Italia per un certo periodo.

c Documento che conferma legalmente che si abita in un certo luogo.

d È un accordo scritto tra il datore di lavoro ed il lavoratore ed è essenziale per il rilascio del permesso di soggiorno.

e Lavoro non legalmente riconosciuto, non regolare.

GLOSSARIO

cedolino: _____

curative: _____

determinati: _____

extracomunitari: _____

mestiere: _____

nulla osta: _____

rinnovo: _____

ritratti: _____

sartoria: _____

socia: _____

3 🔊 8 "A Novellara, dove l'India è di casa": ascolta l'inizio dell'articolo e poi rispondi alle domande.

1 Dove si trova Novellara?

_____

_____

2 Quanti sikh vivono a Novellara?

_____

_____

3 Che cosa hanno a Novellara?

_____

_____

Il mondo a scuola

Gli studenti stranieri iscritti nelle scuole italiane sono circa 805.800: un aumento del 20,9%, molto alto, e quindi la parola d'ordine è sempre più "integrazione".

Quali scuole

Gli alunni stranieri sono aumentati in modo considerevole soprattutto nella Scuola Primaria (rappresentano quasi il 10,4% del totale). Quelli iscritti alla Scuola Secondaria di Primo Grado sono aumentati del 9,6% e quelli iscritti alla Scuola Secondaria di Secondo Grado sono il 7% del totale.

Da quali Paesi

I più numerosi sono gli alunni dalla Romania (157.153), seguiti da albanesi (108.331) e marocchini (101.584). Cinesi (41.707) e filippini (26.132) sono meno numerosi. Questo significa che la popolazione che arriva da altri Paesi è molto varia*, differenziata: ci sono persone che arrivano da molteplici Paesi, in pratica* da tutto il mondo tranne che dall'Oceania. Nella scuola dell'infanzia ci sono numerosi bambini che vengono dal Bangladesh (27,1%).

Alfabetizzazione, apprendimento, Da quali Paesi

Il primo passo* è fornire* allo studente un corso di alfabetizzazione. Proprio per questo, molte scuole organizzano corsi di lingua italiana. Non solo, alcune scuole propongono una sorta di "accoglienza continua", a partire dalla semplificazione dei testi didattici fino all'assistenza nella compilazione dei documenti burocratici, spesso molto complicati.

Le regioni più gettonate*

Fino a pochi anni fa, le regioni che ospitavano più stranieri erano quelle del Nord. Oggi, invece, anche le regioni del Centro Italia, come l'Umbria o la Toscana, cominciano ad avere una percentuale elevata di stranieri. La società italiana, quindi, ormai è molto cambiata ed è diventata davvero multietnica.

Emilia-Romagna	11,54%
Umbria	11,31 %
Lombardia	10,99%
Veneto	10,40 %
Toscana	9,3 %
Lazio	9,87 %
Marche	9,50 %
Piemonte	9,15 %

Il mediatore culturale

Il mediatore culturale è una persona che conosce
perfettamente la lingua e le tradizioni di entrambi
i Paesi. La sua funzione cambia in base all'età dello
studente. Nella scuola materna, ad esempio,
si* gioca molto sulle differenze e sulle somiglianze
culturali: si raccontano fiabe, storie e si cerca
di far capire la diversità attraverso le immagini,
la musica, gli odori, o altro.

Curiosità

- Gli studenti cinesi e coreani sembrano preferire le materie scientifiche a quelle umanistiche*.

- Di recente si è notato un considerevole* aumento del numero delle ragazze sui ragazzi.

- Il Camerun ha il maggior numero di studenti iscritti all'Università.

1 Scrivi i sinonimi di queste parole, che hai letto nel testo.

1 grande _____

2 sono _____

3 molti _____

4 difficili _____

2 Usa un vocabolario e scrivi i contrari di queste parole.

1 considerevole _____

2 molteplice _____

3 numeroso _____

GLOSSARIO

considerevole: _____

fornire: _____

gettonate: _____

in pratica: _____

primo passo: _____

si gioca: _____

umanistiche: _____

varia: _____

Testimonianze

Ecco qualche testimonianza sulla società multiculturale: studenti italiani e stranieri e insegnanti.

Quando è iniziata la scuola, il mio nuovo compagno di banco era Mohamed, un ragazzo tunisino. All'inizio non mi piaceva stare vicino a lui, ma poi siamo diventati amici. Adesso studiamo insieme: lui è bravo in matematica, io lo aiuto a scrivere bene in italiano.

Marco, studente, 11 anni, Cagliari

Da tanti anni insegno italiano alla Scuola Secondaria di Primo Grado. Con l'arrivo di tanti ragazzi stranieri a scuola, il mio lavoro è diventato più impegnativo*: devo parlare più lentamente, spiegare le regole di grammatica, usare parole semplici. Però, anche se il lavoro è più faticoso, il mio entusiasmo è cresciuto* tantissimo.

Anna, insegnante, 50 anni, Milano

Vivo in Italia da 10 anni. Mio padre e mia madre lavorano in fabbrica e non hanno molto tempo per stare con me. A casa parliamo in italiano e in spagnolo e anche al telefono con i miei parenti parlo spagnolo. Sto bene in Italia, i miei amici sono italiani, ma i miei genitori vorrebbero tornare in Perù.

Maria, studentessa, 15 anni, Roma

È stato veramente difficile. I primi anni in Italia sono stati i più brutti della mia vita. Non* facevo che piangere. Ero sempre solo, non capivo la lingua e i miei compagni non riuscivano a parlare con me. Ora va meglio. Parlo bene l'italiano e ho degli amici.

Aarif, studente, 16 anni, Prato

A scuola lavoriamo duro* per facilitare l'integrazione tra ragazzi italiani e ragazzi stranieri. Per esempio, avere un mediatore culturale per ogni Paese è molto importante: spiega i punti in comune tra la sua cultura e quella italiana e risponde alle domande degli studenti e degli insegnanti.

Lorenzo, dirigente scolastico, Treviso

GLOSSARIO

cresciuto: _____

duro: _____

impegnativo: _____

non... piangere: _____

1 Indovina
Ecco come si descrivono alcuni ragazzi
stranieri. Indovina la loro nazionalità.

1 Mi chiamo Mala e fino a cinque anni fa
vivevo a Sandhu Colony. Mia madre è sarta,
realizza i sari. Il sari è il vestito tradizionale
delle donne. A seconda delle caste il sari è
portato sulla spalla destra o sulla sinistra.

_____

_____

2 Io vengo da Rabat. Nel mio Paese tutti
gli abitanti del quartiere si conoscono
e si aiutano. Le case sono sempre aperte
a tutti quelli che vogliono incontrarsi con
amici e parenti. La scuola si svolge dalle otto
di mattina alle sei di di sera con due ore
d'intervallo.

_____

_____

3 Mi chiamo Georgic e la mia città d'origine
si chiama Beius, ha circa 15.000 abitanti e si
trova vicino al confine con l'Ungheria. Il mio
Paese è molto povero e, per questo, molte
famiglie si trasferiscono all'estero.

_____

_____

53

8 Al servizio degli altri

Le associazioni di volontariato

In Italia ci sono oltre 44.000 associazioni di volontariato. La maggior parte delle associazioni opera* nell'assistenza sociale e nella sanità. L'età media dei volontari è di 48 anni. I giovani preferiscono le associazioni che operano nella difesa dell'ambiente.

Ecco alcune tra le associazioni di volontariato più note in Italia. Scrivi i nomi al posto giusto.

Legambiente   Emergency   Gruppo Abele   FAI

1 _____

Nata nel 1975, questa associazione si occupa di difendere l'ambiente naturale e il patrimonio* artistico italiano. Protegge 56 luoghi d'arte in tutta Italia, restaurando* chiese, monumenti e opere d'arte e organizzando ogni anno circa 200 eventi per conoscere e difendere il patrimonio artistico italiano. Durante le sue "Giornate di primavera" (marzo-aprile) apre al pubblico luoghi artistici o naturali generalmente chiusi.

2 _____

È una associazione ecologista, nata nel 1980 per combattere l'inquinamento. Ha una forte base* scientifica: ogni sua operazione per difendere l'ambiente si basa su dati* scientifici, provati. Controlla anche l'inquinamento del mare con la famosa "Goletta verde", una nave che trasporta esperti che controllano l'inquinamento dell'acqua. Ha più di 100 mila soci e circa 30 mila classi di studenti che partecipano a programmi di educazione ambientale.

3 _____

Lo scopo di questa associazione è aiutare le persone che vivono per* strada: gli anziani*, i senza* tetto, i giovani con problemi di droga e alcolismo e i poveri in genere. L'associazione è nata nel 1965, creata da don Ciotti. Oggi ha anche una casa* editrice, un centro studi, una biblioteca e delle riviste. I volontari aiutano le persone in difficoltà ma fanno anche percorsi* educativi per giovani e famiglie.

4 _____

È un'organizzazione non governativa fondata da Gino Strada nel 1994. Il suo scopo è occuparsi degli effetti devastanti* delle guerre, come dare assistenza medica ai malati, costruire ospedali, preparare medici e infermieri. Promuove una cultura di pace, solidarietà e rispetto dei diritti umani.

Rita e i suoi bambini

Rita è volontaria in una casa-famiglia che accoglie
bambini rimasti soli, perché i genitori hanno avuto
brutte storie di droga o alcolismo. Dice Rita: "Cerco
di passare più tempo possibile con questi bambini.
Passiamo la giornata giocando, scherzando,
imparando tante cose nuove. Hanno bisogno di

amore e me ne
danno tanto.
Qui, dopo tante
dolorose esperienze
di vita, hanno
trovato la serenità
e la sicurezza.
Qui vivono una
vera esperienza di
amore".

GLOSSARIO

anziani: _____

base: _____

casa editrice: _____

dati: _____

devastanti: _____

opera: _____

patrimonio artistico: _____

per strada : _____

percorsi: _____

restaurando: _____

senza tetto: _____

1 🔊 9 **Ascolta
la frase di Gino
Strada e riscrivila
in ordine.**

da rifiutare questo
strumento, / debba
svilupparsi al punto
/ E penso che il
cervello umano / in quanto strumento disumano. /
rappresenti la più grande / sempre e comunque, /
vergogna dell'umanità. / Credo che la guerra

_____
_____
_____
_____
_____
_____
_____

2 **Completa le frasi con l'infinito giusto. Scegli
uno dei verbi del riquadro.**

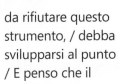

risolvere   donare   tutelare   aiutare

1 _____ le persone più
bisognose è un dovere di tutti.

2 _____ i problemi degli altri fa
sentire meglio anche noi stessi.

3 _____ la propria amicizia agli
altri è un atto di generosità.

4 _____ l'ambiente è il compito
di molte associazioni.

55

Rendersi utili

Ciao a tutti. Mi chiamo Ines e, durante le vacanze… lavoro. Mi piace trascorrere il mio tempo libero facendo qualcosa di concreto, prendendo parte a progetti sociali. Ci sono tanti modi per rendersi* utili. Ecco qualche suggerimento.

Lavoro volontario

Le vacanze di lavoro volontario sono occasioni per trascorrere un periodo facendo un'esperienza di solidarietà e dando un contributo* alla realizzazione di progetti diversi. La scorsa estate sono stata in Perù con

il mio amico Dario (nella foto) per aiutare a costruire una fattoria biologica: abbiamo aiutato a piantare gli alberi, a costruire la fattoria e abbiamo anche insegnato italiano ai proprietari, così possono vendere i loro prodotti in Italia più facilmente.

un lavoro socialmente utile, svolgendo cioè il servizio civile. Fino a qualche anno fa, il servizio civile era obbligatorio per chi voleva evitare il servizio militare. Oggi, invece, possono svolgere il servizio civile anche i volontari, maschi e femmine.

Il servizio civile volontario

Nel 2005 il servizio* militare obbligatorio è* stato sospeso. Oggi, ragazzi e ragazze possono trascorrere un anno facendo

Le adozioni a distanza

Si può fare volontariato anche adottando a distanza. L'adozione a distanza è un atto di solidarietà verso quelle famiglie povere che non possono mantenere* i propri figli. Bastano* pochi euro al mese per provvedere alle cure mediche, ai libri per la scuola, al cibo e all'abbigliamento di un bambino.

Laurearsi in *no profit*

Oggi, in Italia, è possibile laurearsi in discipline *no profit*, scegliendo tra due indirizzi*: uno economico, l'altro di cooperazione internazionale ed educazione alla pace. Dice Oliviero, studente all'Università Bocconi di Milano: "Oggi è necessario portare avanti una economia che aiuti le persone più deboli! Vogliamo una economia nuova, con l'anima! Aiutare le persone svantaggiate non è solo eccitante, è rivoluzionario".

1 Ecco le motivazioni ufficiali del servizio civile volontario. Barra quelle che condividi.

1 ☐ Sviluppare una sensibilità rispetto alle realtà più povere ed emarginate.

2 ☐ Acquisire nuove competenze educative.

3 ☐ Incontrare ed aiutare concretamente persone in difficoltà.

4 ☐ Reagire all'indifferenza e impegnarti con altri giovani.

5 ☐ Formarti ed educarti alla pace.

2 Vero o Falso?

	V	F
1 Il servizio militare è obbligatorio in Italia.	☐	☐
2 Il servizio civile volontario è aperto solo alle ragazze.	☐	☐
3 Chi partecipa ad una vacanza di lavoro volontario riceve uno stipendio.	☐	☐
4 Per partecipare ad una vacanza di lavoro volontario bisogna pagare una quota di iscrizione.	☐	☐
5 Adottando un bambino a distanza si provvede al suo mantenimento.	☐	☐
6 Oggi, in Italia, è possibile laurearsi in *no profit*.	☐	☐

CILS ESPRESSIONE SCRITTA

Immagina di fondare, insieme ai tuoi amici, un'associazione per aiutare gli altri. Di che vi occupate? Come la chiamate?

_____

_____

_____

_____

GLOSSARIO

bastano: _____

contributo: _____

è stato sospeso: _____

indirizzi: _____

mantenere: _____

rendersi utili: _____

servizio militare: _____

9 Ecologia

Un ambiente sano

L'Italia è molto impegnata nella difesa dell'ambiente, grazie ad alcune importanti associazioni.

Spiagge pulite

È l'appuntamento che arriva prima di ogni estate, in genere a maggio. Ogni partecipante riceve sacchi, guanti e rastrello per pulire le spiagge. I sub, invece, puliscono i fondali* davanti alle spiagge e recuperano rifiuti di vario tipo: dalle lavatrici ai sacchetti di plastica.

Festa dell'albero

Si svolge a novembre ed è una giornata dedicata al "rinverdimento*" delle città. Tutti, grandi e piccoli, piantano alberi e piantine nei giardini delle scuole, nelle aree* degradate, nei parchi. Durante l'anno, poi, l'albero piantato dovrà essere controllato e protetto.

Treno verde

È un treno vero e proprio che viaggia in Italia per informare la gente sulla salute dell'ambiente. Il treno si ferma per tre giorni in molte stazioni. Chiunque può salire sul treno e visitare le carrozze allestite* con mostre e laboratori ambientali di vario tipo.

1 Segna da 1 (più grave) a 6 (meno grave) questi problemi. Scrivine uno tu.

- ☐ Surriscaldamento del pianeta.
- ☐ Estinzione di razze animali.
- ☐ Disastri ecologici.
- ☐ Distruzione delle foreste.
- ☐ Inquinamento acustico.
- ☐ _____

2 Barra la casella secondo te giusta.

1 Quale di questi tipi di energia è meno inquinante?
- a ☐ Petrolio
- b ☐ Carbone
- c ☐ Vento

2 Quale di questi rifiuti ha bisogno di più tempo per smaltirsi?
- a ☐ Bottiglia di plastica
- b ☐ Gomma da masticare
- c ☐ Bottiglia di vetro
- d ☐ Lattina

Salvalarte

Questa iniziativa ha due scopi. Il primo, segnalare alcuni tra i monumenti più danneggiati e restaurarli. Il secondo, far conoscere alcuni tra i beni culturali "minori", cioè poco conosciuti dal grande* pubblico.

Giornate FAI di Primavera

A marzo, il FAI organizza un fine settimana di visite guidate gratuite in tutta Italia alla scoperta di monumenti e luoghi di grande valore artistico o naturalistico. Diversi di questi luoghi sono generalmente chiusi al pubblico durante l'anno: le Giornate FAI, quindi, sono anche un'occasione preziosa per scoprire qualcosa generalmente difficile da vedere.

Goletta* verde

Con questa iniziativa, una goletta percorre le coste italiane e preleva* alcuni campioni di acqua per vedere se le acque del mare sono inquinate o no. Informa anche i cittadini sul comportamento da tenere nei confronti dell'habitat marino.

3 Completa le frasi con gli indefiniti "alcuni", "diversi", "ogni", "chiunque".

1 Durante la *Festa dell'albero* si piantano _____ , tipi di alberi.

2 *Spiagge pulite* è l'appuntamento che arriva prima di _____ estate.

3 *Salvalarte* valorizza _____ beni culturali minori.

4 _____ può salire sul Treno verde e visitarlo.

CILS ESPRESSIONE SCRITTA

Scrivi uno slogan per un'iniziativa a difesa dell'ambiente.

_____

_____

_____

_____

GLOSSARIO

allestite con: _____

aree degradate: _____

fondali: _____

goletta: _____

grande pubblico: _____

preleva: _____

rinverdimento: _____

Animali protetti

Le oasi del WWF sono delle zone dove gli animali in pericolo sono protetti e possono vivere tranquillamente. Le oasi del WWF Italia, oggi, sono 134 e ricoprono* circa 35.000 ettari di territorio.

1 🔊 10 Ascolta l'audio e completa le frasi. Poi, abbina ogni animale alla sua foto.

☐ **1** La ☐☐☐☐ ☐☐☐☐☐☐

Vive nel Parco marino a Pantelleria. È un _____ molto delicato. Ama la vita tranquilla e ha bisogno di mari puliti. Questo animale può avere solo un cucciolo* ogni anno. Il cucciolo non impara subito a nuotare e a trovare il _____ . Per questo motivo, molti cuccioli muoiono.

☐ **2** Il ☐☐☐☐☐

La caratteristica principale di questo animale sono i palchi*, che distinguono il maschio dalla femmina. Mangia ogni tipo di _____ Fino all'XI secolo era diffuso in tutta _____ . Oggi, si trova principalmente nell'oasi Valtrogona, nel Trentino Alto Adige.

☐ **3** La ☐☐☐☐☐☐

Sta nascosta di giorno e scende nell'acqua di _____ . Vive vicino ai fiumi, ai ruscelli, ai laghi di montagna. È un'ottima nuotatrice e può rimanere sott'acqua per parecchi minuti, grazie ai suoi ottimi polmoni. A Penne, in Abruzzo, è stato realizzato un Centro per la sua tutela.

☐ 4 L' ☐☐☐☐ ☐☐☐☐☐ ☐☐☐☐☐☐☐☐☐

È il _____ terrestre più grande in Italia. Mangia di tutto, ma soprattutto si nutre di vegetali. È un animale _____ . È presente soprattutto in Abruzzo.

☐ 5 Il ☐☐☐☐☐☐☐☐☐☐☐ ☐☐☐☐

È un uccello che vive in acqua in regioni molto calde. Il suo colore è rosa. Ha un collo _____ ed è molto alto, circa 2 metri. In Italia vive soprattutto in Sardegna, nello stagno Malentargius. In Italia arriva per trascorrere l'inverno, poiché è abbastanza caldo.

☐ 6 Il ☐☐☐☐☐☐☐

Ha le ali di vari colori. In Italia, si trova principalmente nel lago di Burano, in Toscana. Ogni _____ , migra* verso sud, in California, Florida, Messico. Il volo più lungo documentato dagli studiosi è stato di 2900 km. Vive poco: circa due anni.

Natura protetta

In Italia ci sono 871 aree naturali protette (ma il numero aumenta di anno in anno) per un totale di oltre 3.163.000 di ettari* di superficie* protetta a terra e di oltre 2.800.000 di ettari di superficie protetta a mare.

GLOSSARIO

cucciolo: _____

ettari: _____

migra: _____

palchi: _____

ricoprono: _____

superficie: _____

D

F

E

Riciclare

Mi chiamo Michele e sono di Brescia. Con i miei compagni ho svolto* una ricerca su diversi esempi di tutela dell'ambiente. Se anche per te è importante riciclare e smaltire* i rifiuti, ecco qualche suggerimento!

Fa' la cosa giusta

È la più grande fiera italiana che parla di biologico, cibo a km0, moda critica, mobilità* sostenibile* e turismo responsabile. Si svolge a marzo, a Milano, e ha circa 70 mila visitatori. Se vuoi imparare a cucinare vegano, a vestirti in modo ecologico o a viaggiare senza inquinare, questa è la fiera giusta, con più di 400 incontri!

http://falacosagiusta.org

Ecomondo

È una delle fiere internazionali più importanti riguardo al recupero* di materia, energia verde e sviluppo sostenibile. Si svolge a Rimini a novembre e, ogni anno, ospita più di 100 mila professionisti del settore. Se vai ad *Ecomondo*, puoi davvero trovare molte cose utili per una vita più "verde": materiale edile ecologico, cibo biologico, riscaldamento ecologico... Tutto si più riciclare (vetro, carta, alluminio, materiale organico...) ma anche l'aria può essere ripulita, così come l'acqua può essere riciclata e l'energia rinnovata.

www.ecomondo.com

Car Sharing ecologico

È una abitudine molto diffusa in tutta Italia. Numerose città italiane, o aziende private, mettono a disposizione auto ecologiche per chi ha bisogno di usare l'auto solo per poco tempo. È la soluzione ideale se non hai bisogno dell'auto tutti i giorni. Se, per esempio, hai bisogno dell'auto solo per due ore la settimana, basta prenotare un'auto, prenderla in uno dei parcheggi per il *Car Sharing*, usarla e poi riportarla nello stesso parcheggio. In questo modo si inquina meno e si risparmia.

Moda ecologica e sostenibile

La moda sta diventando sempre più "verde".
Oggi molte aziende italiane producono gioielli con materiale riciclato, scarpe vegane, tessuti e accessori naturali, che non danneggiano la pelle o l'ambiente. Una moda "sana" che aiuta anche i più poveri, perché dà lavoro giustamente retribuito* alle persone e crea progetti umanitari nei Paesi poveri. Carlo Capasa (presidente della Camera nazionale della moda) ha affermato: "Parliamo del futuro della moda, ovvero di quello che immaginiamo per le prossime generazioni, i nuovi marchi e i designer emergenti, e di sostenibilità come parte integrante del futuro".

Remady in Italy

È una importante iniziativa sul riciclo dei materiali. Ogni anno, numerose aziende nazionali possono presentare alcuni progetti sul riciclo di materiali ed esporli in una mostra. Fino ad oggi, sono stati esposti tavoli, accessori per l'ufficio, sedie, abbigliamento, oggetti da cucina, tutti derivati dalla raccolta differenziata.

1 **Lo sapevi che... Leggi le frasi e scrivi un tuo commento.**

1 *Riciclonda* è una regata per barche costruite in materiale riciclato. È nata a Ravenna nel 2005 ed ha avuto un grande successo.

_____

2 C'è una nuova collana di libri per ragazzi voluta da Greenpeace, tutta stampata su carta riciclata. Si intitola *I libri di viaggio*. Tra gli scrittori italiani che hanno aderito all'iniziativa ci sono Andrea De Carlo, Sandro Veronesi, Niccolò Ammaniti, Stefano Benni, Camilla Baresani.

_____

3 È un cellulare usa e getta, si chiama Paper Says. L'interno è come qualsiasi cellulare, ma l'esterno è di Tetra Pak. È molto leggero, economico, si vende negli aeroporti, musei e aziende private.

_____

2 **Completa le frasi.**

1 Se vai a *Fa' la cosa giusta*, puoi _____

_____

2 Se usi il *Car Sharing*, puoi _____

_____

3 Se i tuoi vestiti sono ecologici, puoi _____

_____

3 **E tu ricicli? Che cosa?**

GLOSSARIO

ho svolto: _____

mobilità: _____

recupero: _____

retribuito: _____

smaltire: _____

sostenibile: _____

10 Lo sport

Gli sport più praticati

In Italia lo sport è praticato soprattutto dai giovani, ma i meno giovani lo seguono come spettatori. Ecco la classifica dei 10 sport preferiti dagli italiani.
Abbina ad ogni sport il testo giusto.

1 ☐ CALCIO   3 ☐ ATLETICA   5 ☐ CICLISMO   7 ☐ PALLACANESTRO   9 ☐ PALLAVOLO

2 ☐ NUOTO   4 ☐ SCI   6 ☐ TENNIS   8 ☐ AUTOMOBILISMO   10 ☐ SCHERMA

Vincenzo Nibali

È entrato nella storia perché ha vinto tutti e tre i Giri: quello d'Italia, quello di Francia e quello di Spagna.
Lo chiamano "Lo Squalo dello Stretto", perché "attacca" sempre durante la corsa ed è siciliano (lo stretto è quello di Messina).

A

Sara Errani

È nata a Bologna nel 1987.
È stata la seconda italiana (dopo la Schiavone) a raggiungere la finale del Grande Slam. Ha vinto 9 tornei WTA.

B

Sofia Goggia

È stata seconda nella classifica della Coppa del Mondo. Nata a Bergamo nel 1992, è un'atleta molto potente. È entrata nella storia perché nessuna, prima di lei, aveva conquistato il podio in 4 specialità diverse.

C

La Juventus

È la squadra più amata d'Italia, con più di 8 milioni di tifosi. Nel 2017 ha vinto il 6° scudetto consecutivo diventando, ancora una volta, Campione d'Italia: un record assoluto!

D

Gregorio Paltrinieri

È nato a Carpi nel 1994. Campione olimpico nel 2016, campione mondiale ed europeo dei 1500 stile libero, è campione olimpico e del mondo dei 1500 metri e anche primatista mondiale dei 1500 metri in vasca corta.

L'autodromo di Monza

Costruito nel 1922, è il terzo autodromo costruito dopo quello americano di Indianapolis (1909) e quello inglese di Brooklands (1907). È la sede storica del Gran Premio d'Italia e del Campionato Mondiale di F1.

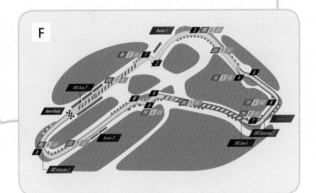

Beatrice Maria Vio

Detta Bebe, è nata a Venezia nel 1997. È campionessa paraolimpica e mondiale di fioretto individuale. A causa di una meningite, ha perso parte delle braccia e delle gambe. Ha conquistato tutti con la sua bravura ma anche con la sua energia e la sua allegria.

"Tua!"

È il grido di quando i componenti di una squadra si tirano la palla. È il secondo sport più praticato in Italia dopo il calcio. È molto praticata nelle scuole.

Luigi Datome

Detto Gigi, è nato a Montebelluna nel 1987. Nel 2003 ha giocato nell'NBA americana nella squadra dei Detroit Pistons e nel 2015 nei Boston Celtics. Poi è tornato in Europa con la turca Fenerbahçe. È uno dei migliori tiratori del mondo.

Filippo Tortu

Nato a Milano nel 1998, ha vinto il titolo italiano assoluto sui 100 metri con il vento contrario e la pista bagnata. Un fulmine!

L'Italia e lo sport

Dal piccolo campo di calcio di periferia al grande evento sportivo… ecco alcune informazioni su come si vive lo sport in Italia.

Lo sport… di tutti i giorni

In Italia fare sport è molto diffuso, a* differenza di altri Paesi, però, l'educazione sportiva non è affidata* alle scuole, ma alle associazioni private. A livello agonistico, le gare sono organizzate dal CONI (*Comitato Olimpico Nazionale Italiano*) che coordina* 65 mila società sportive e 8 milioni di sportivi tesserati*. Nella vita di tutti i giorni, però, l'educazione sportiva dei ragazzi è affidata in genere a bravi volontari.

1 **È un modo di dire:**
Ecco alcuni modi di dire legati allo sport. Scegli il significato giusto

  1 Prendere la palla al balzo:

    a ☐ Essere molto bravi a pallanuoto.

    b ☐ Essere molto agili e veloci.

    c ☐ Cogliere subito una buona occasione.

  2 Hai voluto la bicicletta? Pedala!

    a ☐ Hai desiderato ardentemente qualcosa e adesso devi faticare a mantenerla.

    b ☐ Hai sempre desideri esagerati!

    c ☐ Sei proprio pigro!

Gli Azzurri

Il colore di tutte le nazionali sportive italiane è l'azzurro. Per questo, tutti gli sportivi delle nazionali vengono chiamati "Azzurri". I primi ad indossare il colore azzurro furono i calciatori della Nazionale. Nel 1911 indossarono una maglia azzurra come lo stemma* della famiglia reale di Savoia, re d'Italia.

3 Partire in quarta.

    a ☐ Guidare male l'automobile.

    b ☐ Cominciare una cosa subito e con grande passione.

    c ☐ Iniziare male qualcosa.

Il Campionato di calcio

È sicuramente l'evento sportivo più seguito in Italia. Ed è anche un giro* di affari enorme, tanto grande che a volte crea veri e propri scandali e illeciti* sportivi. È organizzato dalla Federazione Italiana Gioco Calcio e ha una serie maggiore (Serie A) e tre serie minori (Serie B, C e C2). Più in basso c'è la Serie D, che è di semiprofessionisti. Le regole sono quelle del Girone all'italiana, secondo il quale ogni squadra incontra tutte le altre.

Il Giro d'Italia

Il ciclismo è uno degli sport più amati. La Lega nazionale ciclismo oggi ha circa 45 mila tesserati e 1.883 società e il Giro d'Italia è davvero molto seguito. Si tratta della più importante corsa ciclistica

a* tappe del mondo, dopo il Tour de France. A partire dal 1909 si svolge ogni anno a maggio e dura tre settimane. Cambia percorso ogni anno, ma alterna sempre percorsi pianeggianti a salite durissime. È organizzata dall'importante quotidiano sportivo *La Gazzetta dello Sport* che si distingue per le sue pagine rosa. Chi vince il Giro indossa, per questo, la maglia rosa.

Curiosità

Le Partite del Cuore

Sono partite giocate per beneficienza, per raccogliere denaro per i bambini malati, i poveri o le persone in difficoltà. La squadra più famosa è la "Nazionale Cantanti": nata nel 1981, nel 1996 ha ottenuto il riconoscimento ufficiale della Presidenza del Consiglio e nel 2000 è diventata ONLUS. Collabora attivamente con la Croce Rossa internazionale. In genere gioca partite contro la Nazionale Attori o altre squadre di personaggi famosi che giocano per beneficienza. Nella foto vedi la squadra di Emergency, l'associazione medica umanitaria di Gino Strada.

GLOSSARIO

a differenza : _____

a tappe: _____

affidata: _____

coordina: _____

giro di affari: _____

illeciti: _____

stemma: _____

tesserati: _____

2 Lo sport a Roma: abbina ad ogni luogo lo sport giusto.

1 ☐ Piazza di Siena   a Una partita di tennis
2 ☐ Foro Italico   b Una gara ippica
3 ☐ Stadio Olimpico   c Rugby
4 ☐ Stadio Flaminio   d Una partita di calcio

Le squadre di calcio

Il calcio è sicuramente lo sport più amato e seguito in Italia. È seguito da milioni di tifosi che soffrono o gioiscono* ad ogni partita. Ecco una breve storia delle squadre più amate.

Milioni di tifosi!				
Juventus	Milan	Inter	Napoli	Roma
8,5 milioni circa	4, 2 milioni circa	4 milioni circa	3 milioni circa	2 milioni circa

La Juventus

La squadra è stata creata nel 1897 da un gruppo di studenti liceali* di Torino. All'inizio la squadra indossava una maglia rosa. Nel 1903, però, la squadra comprò delle maglie in Inghilterra, ci fu un errore e in Italia non arrivarono maglie rosa, ma... a righe* bianche e nere! Da quel giorno la maglia della Juventus è a righe bianche e nere. È la squadra dei record: nella stagione 2013-2014 ha ottenuto 102 punti in classifica, nel 2015-2016 ha avuto 15 vittorie consecutive e nel 2016-2017 ha conquistato il sesto Scudetto consecutivo.

Il Milan

È stato fondato nel 1899 a Milano, vicino ad una fiaschetteria* di Via Berchet. La maglia del Milan è a righe rosse e nere e ha lo stemma* della città di Milano. Nel 1909 diventa Presidente Piero Pirelli e, da quel momento, il Milan diventa una delle squadre più forti. Tra i suoi tanti campioni, Cesare Maldini, capitano per 5 stagioni, ha alzato a Wimbley la prima Coppa dei Campioni del Milan nel 1963. Gianni Rivera è stato il primo Pallone d'Oro italiano nel 1969.

L'Inter

La squadra è stata fondata nel 1908 durante una cena al ristorante *L'Orologio* di Milano da alcuni "ribelli" del Milan, in disaccordo* con la squadra. "Inter" viene da "Internazionale": infatti è stata sempre aperta a calciatori non italiani, come il suo primo capitano, lo svizzero Manktl. Ha sempre avuto la maglia a righe nere e blu detta "nerazzurro". Contro il Milan gioca la "partita del Derby", che vede una contro l'altra le squadre della stessa città.

Il Napoli

È stata creata nel 1926 da un ricco uomo d'affari, Giorgio Ascarelli, che voleva "regalare" una squadra alla sua città. I napoletani adorano la loro squadra anche oggi e, ancora, Diego Armando Maradona è un "eroe" ai loro occhi. La fortuna della squadra, però, non è stata sempre buona... a volte ha avuto delle stagioni veramente pessime*! All'inizio il suo simbolo era un cavallo, ma dopo le terribili sconfitte del 1927, il cavallo si è trasformato in un... asino! Da allora l'asino è il simbolo della squadra.

La Roma

È nata nel 1927 dall'unione di tre società sportive. La prima di queste era stata creata da alcuni inglesi che vivevano a Roma. Amatissima, ha però un "avversario* naturale": la Lazio, altra squadra della città. Il giocatore più famoso della Roma è Francesco Totti, uno dei migliori giocatori nella storia del calcio italiano. Ha sempre giocato solo nella Roma che per lui non era solo una squadra ma un "amore". Bravo, semplice e simpatico Totti è sempre stato amato dagli italiani. Quando ha chiuso la sua carriera il 28 maggio 2017, il dolore non è stato solo dei romanisti, ma di tutti.

1 **Abbina ad ogni squadra la curiosità giusta.**

1 ☐ Juventus   **a** La chiamano "Pazza" perché ogni sua partita è una sorpresa... bella o brutta.

2 ☐ Inter   **b** Ha per simbolo un "Ciucciariello" (nel dialetto* della città).

3 ☐ Napoli   **c** La chiamano "A maggica" ("La magica", nel dialetto della città).

4 ☐ Roma   **d** La chiamano "Vecchia Signora" perché è stata fondata per prima.

2 🔊 **11** **A Coverciano, in provincia di Firenze, c'è il Museo del calcio. Ascolta e segna le parole che senti.**

☐ coppe   ☐ palloni   ☐ maglie

☐ medaglie   ☐ orologi   ☐ coperte

☐ scarpe   ☐ fotografie   ☐ calzini

☐ guanti   ☐ video   ☐ pettini

CILS ATTIVITÀ SCRITTA

Vai sul sito www.gazzetta.it
È il sito della Gazzetta dello Sport, il più amato e prestigioso giornale di sport italiano. Scegli un articolo di calcio e fai un riassunto.

GLOSSARIO

avversario: _____

dialetto: _____

fiaschetteria: _____

gioiscono: _____

in disaccordo: _____

liceali: _____

pessime: _____

righe: _____

stemma: _____

Sport e solidarietà

Le più grandi squadre italiane raccolgono denaro per aiutare gli altri. La Juventus e la Roma aiutano i bambini, il Milan l'Africa, l'Inter Emergency, la Lazio è impegnata in progetti diversi.

Roma Cares

Questa fondazione benefica della squadra della Roma è nata nel 2014. Ha lo scopo di aiutare i bambini e i giovani che vivono in situazioni di disagio* fisico, economico, sociale o familiare. Tra le sue iniziative, "A scuola di tifo*": i calciatori della Roma vanno nelle scuole per insegnare il valore dello sport e il rispetto per gli avversari. Le attività di beneficienza e carità di Roma Cares sono davvero moltissime.

1 Abbina la maglia ad ogni squadra.

1 ☐ Sampdoria

2 ☐ Palermo

3 ☐ Fiorentina

4 ☐ Lazio

5 ☐ Torino

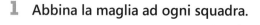

A

B

C

D

E

Lazio, quanti impegni!

Dalla lotta alla droga in collaborazione con la comunità di San Patrignano, a Cernobyl, agli ospedali romani: l'impegno della società biancoceleste* non conosce confini*. I giocatori vanno spesso a visitare i bambini malati negli ospedali pediatrici* romani del Gemelli, del Bambin Gesù e del San Giovanni. Ma aiutano anche altre organizzazioni per la lotta contro diverse malattie.

La Juventus aiuta i più piccoli

I giocatori della Juve sono molto impegnati nella solidarietà. I bianconeri*, grazie a canzoni, dischi, presenze in tv, hanno messo insieme quattro milioni e mezzo di euro per sistemare l'Abbazia di San Girolamo, vicina all'ospedale Gaslini di Genova. In questo modo, i 24 mila bambini ricoverati* ogni anno possono continuare la scuola e soprattutto avere vicino i genitori.

Il Milan per l'Africa

Il Milan è partner ufficiale dell'UNICEF ed è molto attivo nella raccolta fondi per vaccinare i bambini del Congo con lo slogan: "Una partita da vincere insieme". In questa iniziativa sono stati coinvolti tutti i tifosi rossoneri*, ed i Milan club (oltre un migliaio in tutta Italia).

GLOSSARIO

biancoceleste : _____

bianconeri: _____

confini: _____

disagio: _____

pediatrici: _____

ricoverati: _____

rossoneri: _____

tifo: _____

2 È un modo di dire
Ecco alcuni modi di dire legati al "pallone" e al gioco del calcio. Scopri il loro significato.

1 Essere un pallone gonfiato.
  a ☐ Essere pieno di superbia, darsi molte arie.
  b ☐ Essere molto ricchi.

2 Andare nel pallone.
  a ☐ Andare allo stadio con un pallone.
  b ☐ Andare in crisi e non riuscire a fare più niente.

3 Salvarsi in corner.
  a ☐ Salvarsi grazie a del denaro.
  b ☐ Salvarsi all'ultimo momento.

4 Prendere a calci il buon senso.
  a ☐ Seguire le regole del buon senso.
  b ☐ Non seguire per niente le regole del buon senso.

11 Feste e tradizioni

Facciamo festa?

Completa il calendario con le feste giuste.

> San Valentino • Epifania • Festa del papà • Capodanno • Festa della donna • Festa della mamma •
> Primo dell'anno • Natale • Palio di Siena • Regata storica di Venezia • Carnevale • Festa dei nonni

Gennaio

1 _____
Moltissimi italiani seguono in tv il concerto della filarmonica di Vienna.

6 _____
È una festa religiosa. È detta anche Befana, da una strega buona che porta dolci ai bambini buoni e carbone a quelli "cattivi".

31 Fiera dell'Orso, Aosta. Ha più di mille anni.

Febbraio

Data variabile

14 _____

Data variabile Sant'Agata, Catania. Partecipa più di un milione di persone.

Marzo

8 _____
19 _____

Aprile

21 Il compleanno di Roma. Secondo la tradizione, Roma è stata fondata il 21 aprile 753 a.C.

25 Festa Nazionale.

Data variabile Pasqua

Maggio

2ª domenica _____

15 Corsa dei Ceri, Gubbio. I "Ceri" sono torri di legno con le statue dei santi della città.

Giugno

2 Festa della Repubblica.

24 Notte di San Giovanni. La notte "magica" dell'estate, con fuochi e piante portafortuna.

Luglio

2 Palio di Siena.

15 Festino di Santa Rosalia, Palermo. È una delle poche feste nominate "Patrimonio Immateriale" d'Italia.

Agosto

10 San Lorenzo.

15 Ferragosto. Festa religiosa ma anche occasione per divertirsi all'aperto.

16 _____

Settembre

Data variabile Festival del cinema di Venezia

1ª domenica

1ª settimana. Partita a scacchi vivente di Marostica. Solo negli anni pari.

Ottobre

2 _____

4 San Francesco. Festa del Santo Patrono d'Italia e giorno dedicato alla pace e al dialogo tra le religioni.

Novembre

1 Ognissanti.

2 Giorno dei defunti.

11 San Martino.

Dicembre

8 Immacolata Concezione. Festa religiosa e inizio delle Festività del Natale.

25 _____

31 _____

Due feste, due passioni

Ecco due famosissime feste italiane: il Palio* di Siena e la Corsa dei Ceri di Gubbio. Le abbiamo scelte perché vengono vissute con vera passione dagli abitanti delle due città.

www.ilpalio.org

Il Palio di Siena

È una corsa di cavalli che si svolge due volte all'anno (il 2 luglio, Palio per la Madonna di Provenzano, e il 16 agosto, Palio dell'Assunta) nella famosa Piazza del Campo. Ogni cavallo rappresenta una contrada* della città. Le contrade sono diciassette, ma solo dieci vengono sorteggiate e partecipano alla gara. Gli abitanti di Siena sono molto legati alla propria contrada. Per questo vivono il Palio con grandissima emozione: vincere il Palio per loro è la soddisfazione più grande!

Poveri cavalli!

Il Palio è una corsa molto veloce e violenta. Per questo, a volte, i cavalli si fanno male e molte associazioni animaliste sono contrarie al Palio. Negli ultimi anni, però, si sta facendo di tutto per proteggere cavalli e fantini.

Agnese e il Palio

Io sono della contrada della Giraffa. La mia contrada ha vinto il Palio più di 30 volte! Siamo dei campioni! Il Palio è una corsa molto antica e le regole sono cambiate nel corso dei secoli. Oggi il Palio inizia quattro giorni prima della gara, quando si sorteggiano* i dieci cavalli. Da questo momento inizia il tormento per ogni contradaiolo*, fatto di speranza, paura, voglia di vincere. Ogni contrada, infatti, è come un piccolo stato, con il suo Priore*, la sua Chiesa, il suo Museo e le sue tradizioni. Il giorno del Palio, prima della gara, c'è un bellissimo corteo storico. Durante il Palio i cavalli, cavalcati senza sella* dai loro fantini, devono correre per tre volte intorno a Piazza del Campo. Vince la gara il cavallo, non il fantino: un cavallo, infatti, può vincere il Palio anche se arriva "scosso" cioè senza fantino. A volte, infatti, i fantini cadono durante la corsa.

Le 17 contrade

Aquila, Bruco, Chiocciola, Civetta, Drago, Giraffa, Istrice, Liocorno, Lupa, Nicchio, Oca, Onda, Pantera, Selva, Tartufa, Torre, Valdimontone.

1 Dopo il Palio

Che succede dopo il Palio di Siena? Completa il testo.

fazzoletto   chiesa   bandiere   città   ringraziamento

Il popolo della contrada vincitrice porta il Drappellone* alla _____ di Santa Maria in Provenzano, in luglio, e al Duomo, in agosto, per il _____ alla Madonna. Poi tutti fanno un allegro corteo per la loro contrada e per tutta la _____ , con canti, tamburi e _____. Tutti i contradaioli indossano il _____ della loro contrada.

La Corsa dei Ceri

Ce la racconta Fabrizio, uno dei Ceraioli*.

Essere Ceraiolo è un onore. I ceraioli, infatti, appartengono alle più importanti corporazioni* della città. I Ceri sono tre grandi costruzioni di legno, pesanti 400 chili e alte 5 metri. In cima ad ogni Cero c'è la statua di un santo: Sant'Ubaldo per la corporazione dei muratori, San Giorgio per quella dei commercianti e Sant'Antonio per quella dei contadini.

I Ceraioli devono correre per le vie di Gubbio con i Ceri sulle spalle, durante la Festa di Sant'Ubaldo, patrono* della città. La Corsa si svolge il 15 maggio. Non vince chi arriva primo, ma chi trasporta meglio il Cero, senza cadute e oscillazioni*. Una corsa di 4 chilometri, che dura circa 7 minuti. E nell'ultimo tratto c'è quasi un chilometro di salita per arrivare alla basilica di Sant'Ubaldo. Insomma, per essere Ceraioli bisogna essere speciali!

GLOSSARIO

Ceraioli: _____

contrada: _____

contradaiolo: _____

corporazioni: _____

Drappellone: _____

oscillazioni: _____

Palio: _____

patrono: _____

priore: _____

sella: _____

si sorteggiano: _____

---

2 Curiosità sulla Corsa dei Ceri
Vero o falso? Indovina!

V F

1 Solo gli uomini possono preparare il cibo per i Ceraioli. ☐ ☐

2 Il colore dei Ceraioli di Sant'Ubaldo è il giallo, quello di San Giorgio l'azzurro, quello di Sant'Antonio il nero. ☐ ☐

3 Prima della corsa si lanciano in aria tre brocche di ceramica. I cocci vengono conservati come portafortuna. ☐ ☐

4 Nel passato i Ceri erano quattro. ☐ ☐

5 Gubbio si trova in Toscana. ☐ ☐

Natale in Italia

Natale è la festa più bella e più attesa di tutto l'anno. In Italia ci sono moltissimi modi per festeggiarlo.

Il presepio vivente* di Greccio

Greccio è un piccolo paese del Lazio. Il suo presepio vivente è antichissimo. È legato addirittura a San Francesco d'Assisi, patrono* d'Italia, il quale nella notte di Natale del 1223, rappresentò* la scena della nascita di Gesù con persone ed animali veri. Da allora, ogni anno, si ricrea il presepio vivente.

La città del presepio

È Napoli, dove la tradizione del presepio è fortissima. Tra il 1600 e il 1700 il "presepio napoletano" era famoso in tutto il mondo per la sua bellezza e il re in persona andava nelle case a vedere quelli più belli. Il presepe rappresentava anche la vita quotidiana, come il mercato o la trattoria*. A Napoli in via San Gregorio Armeno oggi si costruiscono e si vendono presepi di ogni tipo. Ci sono anche statuine

molto strane, di attualità, come quelle di personaggi famosi, attori o calciatori.

L'albero di Natale a Piazza San Pietro

Nella piazza che è il simbolo del Cristianesimo, ogni anno si può ammirare un bellissimo albero di Natale, dono* di qualche Paese straniero al Papa. Accanto, c'è il tradizionale presepio.

Il mercatino di Bolzano

I mercatini di Natale, tipici della tradizione germanica*, si sono diffusi in tutta Italia. Il più bello e famoso, però, è quello di Bolzano. In piazza Walther, ci sono tante bancarelle* a forma di casetta, colorate di rosso e di verde, nelle quali si può comprare ogni tipo di decorazione natalizia. E poi ci sono giocattoli di legno e di stoffa, dolci tipici e oggetti di artigianato*.

L'Epifania

Dice un proverbio: "Epifania tutte le feste si porta via". Questo perché con il giorno dell'Epifania, 6 gennaio,

finiscono le feste di Natale.
In Italia questo giorno,
tradizionalmente legato all'arrivo
dei Re Magi a Betlemme, è legato
anche alla tradizione della Befana.
Questa è una strega buona che
vola su una scopa, entra nelle case
attraverso il camino e porta regali
ai bambini buoni e carbone a
quelli "cattivi".
Il 6 gennaio c'è un bellissimo
mercato di dolci e giocattoli
a Roma, in Piazza Navona.

GLOSSARIO

artigianato: _____

bancarelle: _____

dono: _____

germanica: _____

patrono: _____

rappresentò: _____

trattoria: _____

vivente: _____

CILS ATTIVITÀ SCRITTA

Immagina di lavorare per un'agenzia viaggi. Scrivi un *depliant* pubblicitario
sulle tradizioni di Natale del tuo Paese per attirare i turisti. _____
_____
_____

1 Ecco alcune tradizioni del Natale italiano. Indovina la risposta giusta.

1 L'albero di Natale è decorato con:

a ☐ dolci e candele

b ☐ palline colorate e luci

2 A mezzanotte del 24 dicembre:

a ☐ si va alla messa di mezzanotte

b ☐ si mette la statua di Babbo Natale

3 Il 6 gennaio vengono messe nel presepio le statue:

a ☐ dei Re Magi

b ☐ della Madonna e di San Giuseppe

4 Il 7 gennaio, il presepio:

a ☐ si toglie

b ☐ si decora con una grande stella

2 Ecco i due famosissimi dolci di Natale. Metti in ordine le lettere e scopri i loro nomi.

1 È un dolce fatto con miele,
zucchero e mandorle. Secondo
una leggenda, lo ha inventato
un cuoco per un importante
pranzo di matrimonio a
Cremona nel 1441.

2 Questo dolce è nato a Milano
nel 1500. Secondo una
leggenda, Toni, un giovane
cuoco, inventò un dolce
chiamato il pane di Toni.

E T O R O R N _____

A T N E T O N E P _____

3 Usa il codice e scopri un proverbio sul Natale... e non solo.

✳ ✪ ▼ ✪ ▲ ♥   ★ ✚ ✳   ●   ▼ ✣ ✚ ●
☐ ☐ ☐ ☐ ☐ ☐   ☐ ☐ ☐   ☐   ☐ ☐ ☐ ☐

❑ ✪ ✳ ■ ✣ ✪   ★ ✚ ✳   ★ ✦ ●   ○ ✣ ✚ ●
☐ ☐ ☐ ☐ ☐ ☐   ☐ ☐ ☐   ☐ ☐ ☐   ☐ ☐ ☐ ☐

✪=A	▲=L	✳=S
★=C	✳=N	▼=T
♥=E	✚=O	✣=U
✦=H	❑=P	○=V
●=I	■=Q	

Pasqua

A Pasqua si celebrano la Passione, la morte e la Resurrezione di Gesù Cristo. I festeggiamenti della Pasqua variano da regione a regione. Eccone alcuni.

Lo scoppio del carro – Firenze

A Firenze, il giorno di Pasqua, a mezzogiorno, si assiste al tradizionale *scoppio del carro*. Un carro antico, pieno di fuochi d'artificio, arriva davanti al Duomo di Firenze, Santa Maria del Fiore. A mezzogiorno ci sono i fuochi d'artificio. Un pupazzo – a forma di colomba bianca – parte dal carro e arriva alla porta di Santa Maria del Fiore. Secondo la tradizione, se il viaggio di questa colomba va bene, la città di Firenze vivrà un anno fortunato!

L'uovo di Pasqua

In Italia, a Pasqua, si regalano uova di cioccolato. Una tradizione religiosa, ma anche un gesto di amicizia. Dentro alle uova c'è sempre una piccola sorpresa. Ci sono anche importanti manifestazioni benefiche con le uova di Pasqua. Ogni anno l'AIL (Associazione Italiana contro le Leucemie) vende 800.000 uova di cioccolato per aiutare le persone malate.

La Sacra Rappresentazione*
di Valmontone – Roma

È una delle manifestazioni più importanti d'Italia. Il Venerdì Santo, 300 abitanti del piccolo paese di Valmontone, vicino Roma, fanno rivivere la storia della Passione di Cristo e alcune vicende* della Bibbia. Si* ripercorre tutta la vita di Gesù. Si inizia con Gesù nell'orto, la cattura, la flagellazione*, il giudizio di Pilato e si arriva al momento più tragico ed emozionante: la Via Crucis. La Sacra Rappresentazione si conclude con la deposizione dalla Croce.

La Settimana Santa di Taranto – Puglia

La Settimana Santa è la settimana prima della Domenica di Pasqua. A Taranto per tutta la settimana ci sono riti molto suggestivi* fatti dalle tante confraternite* religiose della città.
Per esempio, il Giovedì Santo ci sono i Perdoni, un rito in cui i confratelli* della Chiesa del Carmine attraversano la città scalzi, con il tradizionale vestito bianco. Il pomeriggio del Venerdì Santo c'è la processione dei Misteri che racconta la Passione di Cristo e, la sera, la processione dell'Addolorata.

1 🔊 12 Ascolta questa filastrocca tradizionale di Pasqua, imparala a memoria e ripetila ai compagni.

2 Indovina il significato dei seguenti modi di dire.

    1 Essere felici come una Pasqua:

      a ☐ essere molto felici.

      b ☐ essere molto tristi.

    2 Lungo come una Quaresima:

      a ☐ noioso e lungo nel tempo.

      b ☐ divertente e di breve durata.

GLOSSARIO

confratelli : _____

confraternite: _____

flagellazione: _____

rappresentazione: _____

si ripercorre: _____

suggestivi: _____

vicende: _____

3 Le parole della Pasqua: abbina ad ognuno il significato giusto.

    1 ☐ Il lunedì dell'Angelo   **a** dolce tradizionale, simbolo di vita e di pace.

    2 ☐ La Pasquetta   **b** sinonimo di Lunedì dell'Angelo

    3 ☐ La colomba   **c** lunedì dopo Pasqua

Il carnevale

Non c'è piazza in cui non ci sia una festa, non c'è strada in cui non ci siano maschere. Il Carnevale in Italia è amatissimo e festeggiato in mille modi diversi.

Il carnevale più antico

È quello di Bagolino, in Lombardia. Qui i *balarin* (ballerini) vanno per il paese con le tradizionali maschere bianche, un prezioso cappello con nastri e gioielli e uno scialle* di seta. Danzano ma fanno anche scherzi terribili! In origine era una festa privata tra fidanzati e amici: il fidanzato, infatti, esponeva* sul cappello i gioielli ricevuti in dote*.

Il Carnevale veneziano

È sicuramente il più famoso. Già nel 1296 si faceva festa e il carnevale era lunghissimo: cominciava ad ottobre. Ma il periodo più bello fu sicuramente il 1700, dove il carnevale diventò l'occasione per mostrare maschere meravigliose. Oggi è una bellissima festa cittadina, dove si canta, si balla e ci si diverte in ogni angolo della città.

A colpi di arancia

Ad Ivrea, in Piemonte, c'è la famosa battaglia delle arance. Gli abitanti della città si dividono in 9 squadre, una per ogni quartiere*, e iniziano una feroce battaglia a colpi di arance che dura tre giorni. Questa battaglia ha un'origine molto più gentile: deriva dal lancio dei fiori dai balconi fatto dalle ragazze. Poi, durante il Risorgimento*, si cominciarono a lanciare dai balconi oggetti più pesanti, per protestare contro la dominazione austriaca.

I carri allegorici

Si tratta di carri che hanno sopra grandissime statue di cartapesta*. È il carnevale di Viareggio, in Toscana. I carri si chiamano allegorici perché rappresentano momenti della vita politica e sociale italiana e internazionale. Possono essere alti anche 30 metri. È un carnevale piuttosto recente nato dall'iniziativa di alcuni giovani che, nei primi anni del Novecento, sfilarono per la città con le automobili decorate di fiori.

La Sartiglia

Si svolge ad Oristano, in Sardegna ed è una straordinaria prova di abilità. Bravissimi cavalieri devono prendere con la spada e con la lancia una stella appesa al centro della strada. Secondo la tradizione, più stelle si prendono, più la terra darà frutti.

GLOSSARIO

campanacci: _____

cartapesta: _____

dote: _____

esponeva: _____

quartiere: _____

Risorgimento: _____

scialle: _____

La Mamoiada

Si svolge a Mamoiada, un paese della Sardegna. Qui i *mamuthones*, coperti di pelle di capra, indossano campanacci* e terribili maschere di legno e ballano per le strade. L'origine di questo carnevale è addirittura preistorica.

1 Le maschere sono personaggi della Commedia dell'Arte italiana e anche i simboli del carnevale. Abbina a ogni maschera la descrizione giusta.

1 ☐ Gianduia   2 ☐ Pantalone   3 ☐ Balanzone

a Sono un mercante veneziano, molto ricco e molto avaro!

b Sono un medico di Bologna, ma... non so niente di medicina! La mia vera passione? Mangiare!

c Sono un gentiluomo piemontese. Sono onesto, tranquillo ma mi piace divertirmi e stare in compagnia!

2 Completa lo schema e scopri come si chiama la maschera tradizionale di Viareggio.

1 Ad Ivrea c'è quella delle arance.
2 Sono le maschere di Mamoiada.
3 Il carnevale di Oristano.
4 Lo indossano i *balarin*.
5 Il materiale delle statue di Viareggio.
6 Li indossano i *mamuthones*.
7 Si usa nella Sartiglia.
8 A Venezia sono meravigliose.
9 Sono "allegorici".
10 Sono sul cappello dei *balarin*.

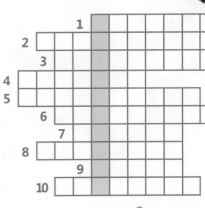

12 La cucina

Gli italiani a tavola

Oggi si pranza in modo veloce: per motivi di lavoro non tutti tornano a casa a pranzo e, quindi, spesso si mangia al bar o in trattoria*.

Primo, secondo, contorno e frutta!

Fino a qualche anno fa, il classico pranzo degli italiani era composto da un primo (un piatto di pasta o di minestra), un secondo (un piatto di carne o di pesce), un contorno (verdura), e la frutta. Negli ultimi anni, però, le abitudini sono cambiate. C'è meno tempo per cucinare. Fino a qualche anno fa, si impiegava parecchio tempo per preparare i pasti in casa, il luogo di lavoro, spesso, era vicino a dove si abitava, e solo poche donne lavoravano.

Mangiare fuori

Oggi 39 milioni gli italiani pranzano fuori casa: 13 milioni per 4 o 5 volte a settimana, 9 milioni per 2 o 3 volte a settimana e 17 milioni per 2 o 3 volte al mese. Inoltre, sei italiani su dieci fanno colazione al bar, la mattina: molti di loro tutti i giorni. Per gli italiani, comunque, è importante che il cibo sia buono: pranzo veloce sì, ma di buona qualità. È aumentato molto il consumo di frutta e verdura.

Lo *Slow Food* e l'attenzione al cibo

Il movimento *Slow Food* è nato per far riscoprire alle persone il piacere di mangiare bene e senza fretta. Lo *Slow Food* difende i cibi tradizionali, rispetta l'ambiente, ha* a cuore la salute del consumatore e lo informa su quello che mangia. Questo in più di 150 Paesi nel mondo. Aiuta anche le popolazioni locali: in Africa, per esempio, ha creato più di 10.000 orti*. Oggi gli italiani sono molto attenti a quello che mangiano: qualità e sicurezza sono molto importanti. Hanno sempre più successo anche i prodotti tradizionali regionali, simbolo di tradizione, qualità e produzione biologica*.

1 Vero o falso?

	V	F
1 Molti italiani mangiano fuori casa.	☐	☐
2 In Italia si impiegava poco tempo per cucinare.	☐	☐
3 Molti italiani fanno colazione al bar.	☐	☐
4 Lo *Slow Food* difende i cibi tradizionali.	☐	☐
5 È diminuito il consumo di frutta e verdura.	☐	☐

GLOSSARIO

biologica: _____

ha a cuore: _____

orti: _____

trattoria: _____

2 In Italia ci sono tanti modi di dire legati al mangiare. Eccone alcuni.

1 Chi mangia solo si strozza:
  a ☐ è meglio mangiare da soli.
  b ☐ è meglio condividere il cibo con altri.

2 L'appetito vien mangiando:
  a ☐ mangiare... fa venire fame!
  b ☐ mangiare fa passare la fame.

3 A tavola non si invecchia mai:
  a ☐ mangiare aiuta a restare giovani.
  b ☐ mangiare fa invecchiare.

4 Chi tarda ai pranzi, mangia gli avanzi:
  a ☐ chi arriva tardi, perde il meglio delle cose.
  b ☐ chi arriva tardi, non mangia.

3 Primo, secondo e contorno: completa la tabella.

> frittura di pesce   asparagi   carne arrosto   formaggi   insalata
> tortellini   melanzane   pomodori   ravioli   tagliatelle

Primi piatti	Secondi piatti	Contorni

La pasta italiana

13 🔊 13 **Conosci la pasta italiana? Ascolta il brano e poi scrivi accanto alla regione il nome giusto della pasta tipica di quel luogo.**

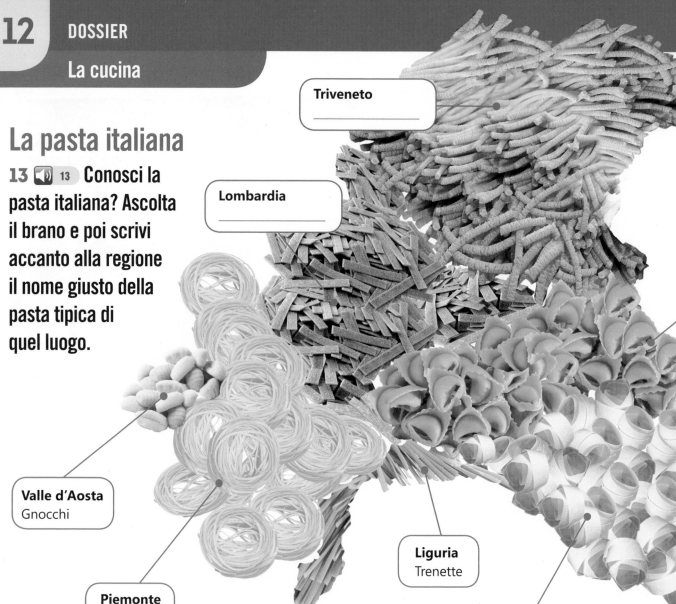

Triveneto
_____

Lombardia
_____

Valle d'Aosta
Gnocchi

Piemonte
Tajarin

Liguria
Trenette

Toscana
Pappardelle

Valle d'Aosta
Gnocchi
Tipo di pasta a base di patate. In Valle d'Aosta si mangiano conditi con la fontina.

Piemonte
Tajarin
Sono tagliatelle molto sottili. Vanno cotti nel brodo e conditi con un sugo a base di funghi e tartufo.

Liguria
Trenette
È un tipo di pasta fatta con uova, farina, acqua e sale. Vengono condite con il pesto.

Toscana
Pappardelle
È una pasta all'uovo, piatta e larga circa 13 millimetri. Si mangiano con il sugo di selvaggina.

Umbria
Strangozzi
Sono grossi spaghetti spessi e rustici. Si preparano con un impasto di acqua e farina.

Lazio
Bucatini
Si tratta di spaghetti più grossi del normale e bucati al centro. Il loro sugo è quello all'amatriciana.

Campania
Spaghetti
È la pasta italiana per eccellenza. Secondo una leggenda, li inventò un mago che voleva regalare la felicità agli uomini.

Basilicata
Strascinati
Sono simili alle orecchiette, ma più grandi e aperti. Vengono conditi con lo "ndruppeche", il tradizionale ragù locale.

Calabria
Sagne chine
Sono delle lasagne cotte al forno. Condite con carne, uovo sodo, piselli, carciofi, salame e pecorino.

Sicilia
Maccheroni
Sono conditi con sarde, finocchio, uva passa, pinoli, pepe e zafferano.

Sardegna
Malloreddus
Sono gnocchi piccolissimi. Vengono conditi con un sugo a base di carne di agnello.

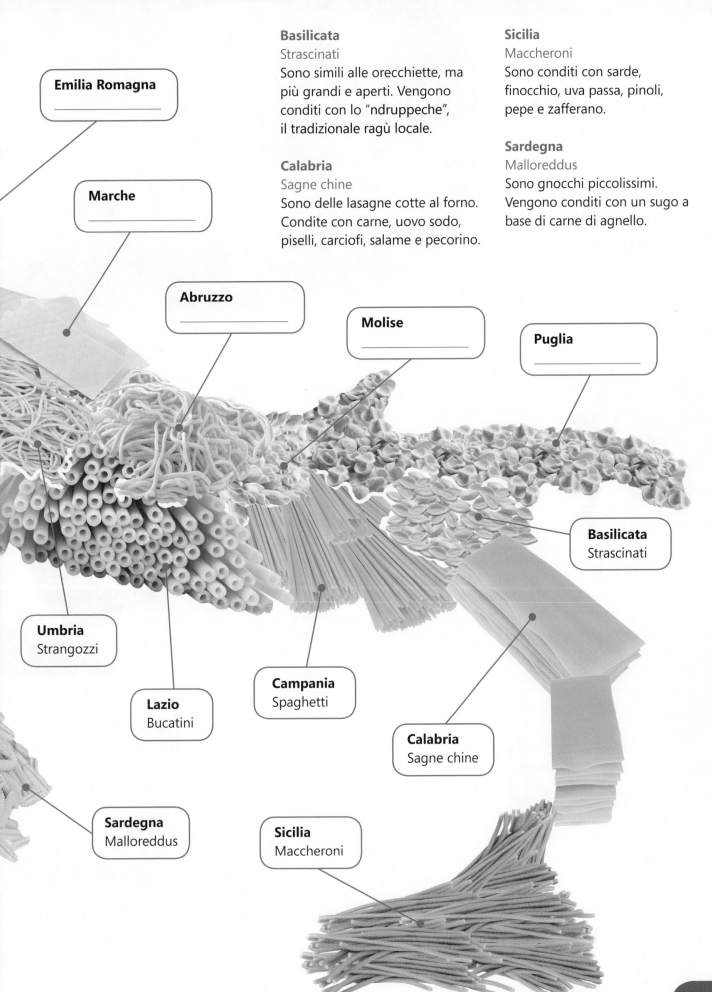

Emilia Romagna
_____

Marche
_____

Abruzzo
_____

Molise
_____

Puglia
_____

Basilicata
Strascinati

Umbria
Strangozzi

Lazio
Bucatini

Campania
Spaghetti

Calabria
Sagne chine

Sardegna
Malloreddus

Sicilia
Maccheroni

85

Il cibo "sociale"

In Italia, per fare* due chiacchiere con gli amici, ci si incontra per mangiare una pizza o prendere un caffè. Due abitudini a cui si è molto affezionati.

Andiamo in pizzeria

L'82% degli italiani dice che la pizza è il suo piatto preferito. La pizzeria è il locale pubblico più frequentato: il 61% delle persone lo frequenta abitualmente nel fine settimana per trascorrere una serata con gli amici e spendere poco.

La pizza, un cibo da regina

La pizza si vendeva già nel XVIII secolo, ma la data ufficiale della sua nascita è il 1889. Quell'anno i re d'Italia, Umberto I e sua moglie Margherita andarono in vacanza a Napoli. Qui, il pizzaiolo più famoso della città preparò varie pizze per i sovrani. Alla regina piacque soprattutto una pizza fatta con pomodoro, mozzarella e basilico. Questa pizza fu chiamata "Margherita".

Il cibo dei poveri

In origine, la pizza era il cibo dei poveri. Nel 1700 la pizza si vendeva per strada. A Napoli, la pizza si vendeva "da oggi a otto", cioè il cliente comprava la pizza ma, siccome era povero, la pagava solo otto giorni dopo.

Ti offro un caffè

In Italia bere un caffè significa bere un "espresso", cioè poco caffè, molto forte, servito in una tazzina. Bere un caffè è un rito* sociale. Si offre a qualcuno un caffè per fare due chiacchiere e per stare in compagnia.

La moka

Gli italiani usano la moka per fare il caffè a casa. Sotto si mette l'acqua, poi la polvere di caffè nel filtro e, infine, si chiude. Si mette sul fuoco basso.

Qualche curiosità

Occorrono* 42 chicchi di caffè per fare un espresso.
Una tazza di caffè contiene circa 150 milligrammi di caffeina.
In media, gli uomini bevono più caffè delle donne.
Al museo della Scienza di Milano c'è una mostra sulle macchine da caffè: tra queste, la prima del 1905 e la *Diamante* del grande *designer* Bruno Munari.

Riconoscere un buon caffè

Il caffè deve avere sempre un po' di crema*. Se non c'è crema il caffè è bruciato o freddo.
Il colore della crema deve essere marrone.
Quando si mette lo zucchero, questo deve scendere molto lentamente.
Si deve sentire un buon profumo prima che la tazzina sia portata in bocca.
La tazzina deve essere calda.

---

1 **Tipi di pizza. La pizza non è solo tonda! Abbina ad ogni foto il nome giusto.**

a pizza al taglio   **b** trancio di pizza   **c** pizza al piatto   **d** calzone

1 ☐   2 ☐   3 ☐   4 ☐

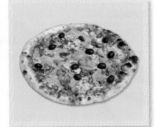

---

2 **Immagina di essere in un bar italiano. Abbina ad ogni tipo di caffè espresso la definizione giusta.**

1 ☐ Un ristretto, per favore!

2 ☐ Mi fa un caffè doppio?

3 ☐ Un caffè macchiato freddo, grazie.

4 ☐ Io prendo solo decaffeinato.

5 ☐ Un caffè macchiato caldo!

6 ☐ Un caffè lungo, grazie.

a Un espresso fatto con molta acqua.

b Un espresso senza caffeina.

c Un espresso con un po' di latte freddo.

d Un espresso con un po' di latte caldo.

e Due espressi messi in una tazza grande.

f Un espresso fatto con poca acqua.

CILS ATTIVITÀ ORALE

Lavora insieme ad un compagno. Immagina di essere in pizzeria o al bar. Tu sei il cliente e ordini qualcosa: il tuo compagno è il cameriere. Poi invertite i ruoli.

GLOSSARIO

crema _____

fare due chiacchiere: _____

occorrono: _____

rito: _____

Le ricette

Ciao! Io sono Cristina e cucinare mi piace moltissimo! Ecco un primo, un secondo e un dolce facilissimi da preparare. Buon appetito a tutti!

Spaghetti alla carbonara

Ingredienti per 4 persone:

✔ *500 grammi di spaghetti*
✔ *200 grammi di guanciale (o pancetta)*
✔ *4 uova freschissime*
✔ *50 grammi di formaggio pecorino grattugiato*
✔ *pepe e sale*

Tagliare il guanciale a dadini* e cuocerlo in padella per per 2 o 3 minuti, poi spegnere il fuoco. Cuocere gli spaghetti in acqua bollente salata. Mentre gli spaghetti cuociono, sbattere in una grande ciotola le uova e il pecorino: aggiungere un po' di pepe e poco sale. Scolare* la pasta e metterla nella padella insieme al guanciale cotto. Mescolare bene. Versare la pasta nella grande ciotola con le uova e il pecorino e mescolare bene.

Vitel tonné

Il nome sembra francese, ma il piatto è piemontese.

Ingredienti per 4 persone:

✔ *600 grammi di vitello*
✔ *3 cucchiai d'olio*
✔ *1 bicchiere di vino bianco*
✔ *1 spicchio d'aglio*
✔ *1 carota*

✔ *200 grammi di tonno*
✔ *qualche cappero*
✔ *un po' di maionese*
✔ *un gambo* di sedano*
✔ *5 acciughe sott'olio*

Mettere a cuocere il vitello in una pentola con un po' d'acqua e aggiungere l'aglio, la carota, l'olio, il sedano e il vino. Far cuocere per un'ora e poi mettere in una ciotola il sugo che si è formato e aggiungere tonno, acciughe, maionese, capperi e frullare*. Tagliare a fette la carne e metterci sopra questa salsa. Mettere in frigo per un'ora e servire.

Il tiramisù

Ingredienti per quattro persone:

✔ *4 uova*
✔ *400 grammi di mascarpone*
✔ *2 cucchiai di brandy o rhum*
✔ *300 grammi di savoiardi*
✔ *100 grammi di zucchero*
✔ *caffè e cacao amaro in polvere*

Montare* i rossi delle uova con lo zucchero, poi aggiungere il mascarpone e gli albumi, che sono stati montati a neve, formando una crema. Inzuppare i savoiardi nel caffè caldo unito al brandy o rhum, sistemarli in una pirofila*, poi coprire con uno strato di crema, sistemare altri savoiardi e ricoprire con altra crema. Spolverare il tutto con cacao in polvere e lasciar riposare in frigorifero per alcune ore.

GLOSSARIO

dadini:_____

frullare: _____

gambo: _____

montare: _____

pirofila:_____

scolare:_____

CILS ATTIVITÀ SCRITTA

Immagina di invitare alcuni amici a cena. Scrivi che cosa vuoi cucinare.

_____
_____

1 **Istruzioni per cuocere bene la pasta.**
Abbina ogni descrizione allo strumento o ingrediente giusto.

1 ☐ Deve essere larga e contenere parecchia acqua. Circa 1 litro di acqua per ogni 100 gr. di pasta.

2 ☐ Bisogna aggiungerlo solo quando l'acqua bolle.

3 ☐ Serve per mescolare la pasta mentre cuoce.

4 ☐ Serve per scolare la pasta.

A cucchiaio di legno

B sale

C scolapasta

D pentola

Made in Italy

Il *Made in Italy* è sinonimo di qualità ed eccellenza. Proprio per questo i prodotti italiani sono sempre più imitati all'estero e venduti con etichette *Italian sounding**.

I falsari del cibo

Si sa: il cibo italiano è buonissimo e fa* gola a molti, anche ai falsari* del cibo, che imitano i prodotti italiani per accrescere i guadagni. Utilizzare un nome, un marchio o qualunque cosa che richiama l'Italia fa aumentare il valore del prodotto del 51,2%.
Nel mondo, ci sono moltissime aziende che copiano e vendono i falsi cibi e vini italiani.

Qualche cifra

Il 97% dei sughi per pasta venduti all'estero sono imitazioni. Il 94% delle conserve sott'olio e sotto aceto è falso, così come il 76% dei prodotti in scatola. Solo il 15% dei formaggi presentati come "italiani" è autentico. Il mercato dei falsi è maggiore negli USA e in Canada (70%) e minore (5%) nell'Unione Europea, che ha regole comuni da rispettare.

I più imitati

Per far sembrare autentici i prodotti imitati, questi hanno il nome scritto in italiano con i colori della bandiera dell'Italia, ma spesso è scritto... sbagliato!
I prodotti più imitati sono: il *Parmigiano Reggiano*, il *Grana Padano*, la *Mozzarella di bufala*, il *Gorgonzola*, il *Prosciutto di Parma*, la *Mortadella di Bologna*, l'*olio extravergine di oliva* e i vini *Chianti* e *Marsala*.

1 Il parmigiano reggiano
Completa il testo su questo famosissimo formaggio italiano.

secoli	ingredienti	buonissimo	antiche

È un formaggio _____ . È l'alimento più ricco di proteine in assoluto, più della carne e del pesce. Il Parmigiano è anche ricco di vitamine ed è facile da digerire.
Si produce nell'Italia del Nord, nelle campagne tra Bologna, Parma e Reggio Emilia. Le sue origini sono molto _____ . Tra il 1200 e il 1300, il Parmigiano Reggiano diventa famosissimo in tutto il mondo. La sua lavorazione è rimasta la stessa di sette _____ fa. Gli _____ sono il latte, il fuoco e l'abilità dei casari*. Non vengono usati conservanti, né coloranti.

I prodotti italiani più amati ed imitati.

Paese	Prodotto
Giappone	Parmigiano Reggiano
Canada	Parmigiano Reggiano, Grana Padano, stracchino, mozzarella, prosciutto di Parma, salame Milano, salame genovese, salame calabrese, robiola
Argentina	Prosciutto cotto, salame, pasta, prosciutto di Parma, Parmigiano Reggiano, Grana Padano
Germania	Parmigiano Reggiano, vini
Gran Bretagna	Parmigiano Reggiano, olio d'oliva, Lambrusco
Stati Uniti	Vini, olio d'oliva, pasta, formaggi, salsa di pomodoro, salami, prosciutti, aceto balsamico di Modena

CILS ATTIVITÀ ORALE

C'è un cibo italiano che ami particolarmente? Quale? Spiega perché.

GLOSSARIO

casari: _____

fa gola: _____

falsari: _____

Italian sounding: _____

2 **L'olio extravergine di oliva. Completa le frasi.**

- l'aroma delle olive. Impiegato crudo, trasmette queste qualità agli alimenti.
- condire insalate, preparare sughi e salse.
- le vitamine E, A, K, D che hanno proprietà antiossidanti e proteggono le cellule dell'organismo.
- è un alimento importantissimo per l'alimentazione.
- dolce o amaro, forte o delicato.

1 L'olio extravergine di oliva _____

2 Quest'olio contiene _____

3 L'olio extravergine di oliva conserva le vitamine, il sapore e _____

4 Quest'olio è particolarmente usato per _____

5 Il sapore dell'olio extravergine di oliva può essere _____

13 La moda

Eleganza all'italiana

La moda cambia molto velocemente, ma una cosa resta uguale da più di 50 anni: il prestigio* dello stile italiano. Scopriamo perché.

Marchi globali

Secondo una ricerca fatta in 42 Paesi tra Europa, Asia, Africa, Stati Uniti e America Latina, i vestiti e gli accessori* più desiderati nel mondo sono quelli di Giorgio Armani e di Gucci. Questi due marchi, infatti, simboleggiando qualità, grande eleganza e stile, esprimono valori senza tempo validi dappertutto. Come tutta la grande moda italiana.

Mezzo secolo di stile

Il 25 febbraio 1951, con la sfilata organizzata dal conte Giorgini a Firenze per un pubblico internazionale, inizia la storia della moda italiana. Prima, gli abiti dei grandi sarti erano esclusiva di pochi clienti molto ricchi, ospitati nella riservatezza* delle sartorie. Giorgini, invece, ebbe l'idea di creare "la sfilata", cioè un'occasione pubblica per far conoscere, e comprare, gli abiti dal maggior numero possibile di clienti. Le prime sfilate si tennero nella famosa Sala Bianca di Palazzo Pitti, a Firenze. Oggi Palazzo Pitti è ancora un punto* di riferimento per la moda maschile con le sfilate *Pitti Uomo* o *Pitti Immagine* e la presentazione dei tessuti.

La moda per tutti

Fine anni '70: il settore della moda è un po' in crisi e c'è bisogno di idee nuove. L'esperto di moda Beppe Modenese ha l'idea di far sfilare gli abiti di un gruppo di giovani stilisti italiani completamente sconosciuti. Tra questi ci sono Laura Biagiotti, Valentino, Krizia, Giorgio Armani, Gianni Versace... è l'inizio del *Made in Italy*, cioè di abiti di grandissima qualità a prezzi abbordabili*. Ed è la nascita di Milano come "città della moda". A Beppe Modenese si deve anche la scoperta di Dolce & Gabbana che, dallo scantinato dove lavoravano, sono diventati uno dei marchi più famosi al mondo.

Il segreto

Ma qual è il segreto del successo del *Made in Italy*? Risponde Beppe Modenese: «Personalità, determinazione e riconoscibilità. Per esempio, la giacca di Armani è inconfondibile*, come il *bustier* di Dolce & Gabbana o certi colori di Versace. In più, gli italiani hanno la capacità di inventare stili, cioè sanno rivoluzionare il gusto e il modo di vestire. I creatori di moda di altri Paesi presentano abiti bellissimi, ma raramente lasciano il segno e fanno scuola».

1 **Stilista anche tu**

Queste sono le creazioni di alcuni degli stilisti italiani che hanno rivoluzionato la storia della moda. Abbina ad ogni abito lo stilista giusto.

1 ☐ Il famoso "pretino". Ideato per l'attrice Ava Gardner nel 1955, piacque così tanto a Federico Fellini, che lo immortalò nella *Dolce Vita*.

2 ☐ Questa giacca ha contribuito a rendere famoso Richard Gere nel 1980.

3 ☐ La maglia, lavorata in modo speciale, si porta anche d'estate.

4 ☐ Un successo senza tempo che, anno dopo anno, si rinnova.

5 ☐ È il modello di borsa più amato e imitato nel mondo.

6 ☐ Fantasia e originalità per tutti.

a Ottavio e Rosita Missoni: la maglia non è solo "calda", ma diventa arte e colore.

b Gianni Versace: nel 1980 ha inventato la "maglia metallica" e la gonna asimmetrica.

c Sorelle Fontana: per prime, uniscono i concetti di "fantasia" e "eleganza".

d Miuccia Prada: ha rivoluzionato la *Shopping Bag* e la *Doctor Bag*.

e Giorgio Armani: ha inventato la giacca comoda, facile da indossare e che sta bene a tutti.

f Dolce & Gabbana: hanno rivoluzionato la moda "della strada".

2 **In negozio**

Ecco un dialogo in un negozio di vestiti. Trova e scrivi il significato delle parole evidenziate.

– Buongiorno, posso vedere quel completo in vetrina?
– Quello con la canotta gialla?
– Sì, con lo scollo asimmetrico.
– Ecco a lei... il camerino è in fondo.
– Come mi sta?
– Mi sembra un po' attillato in vita.

– Sembra anche a me... ci vuole una taglia in più.
– Questo le starà sicuramente bene.
– Quanto viene?
– 150 euro.
– È un po' caro...
– No, se pensa che è griffato.

_____
_____
_____
_____
_____
_____
_____
_____

GLOSSARIO

abbordabili: _____
accessori: _____
inconfondibile: _____
prestigio: _____
punto di riferimento: _____
riservatezza: _____

Le sfilate di Milano

Sono un appuntamento importantissimo per il mondo della moda, un punto di riferimento per il *Fashion System* mondiale.

La moda è una cosa seria

Anzi, serissima, perché ha un attivo* di 20 miliardi di euro. Dietro a gonne, gioielli e tacchi alti c'è il lavoro di moltissime persone. Tutto si gioca in soli 10 giorni, durante "Milano Moda Donna", punto di riferimento per il *Fashion System* internazionale. Le sfilate di Milano hanno due importantissimi appuntamenti l'anno: uno a febbraio, per la collezione* invernale, e uno ad ottobre, per la collezione estiva. Oltre a stilisti famosi, Milano Moda Donna presenta anche nuovi talenti, permettendo l'incontro con la stampa specializzata e i compratori. Il cuore* della manifestazione è il Padiglione 4 della Fiera di Milano, che ospita più di mille giornalisti, 10 agenzie di stampa, 38 televisioni, 5 radio, 6 testate* multimediali e oltre 100 fotografi.

Il segreto del successo

Dietro il successo della moda italiana c'è una grandissima organizzazione economica e industriale. I grandi industriali hanno il controllo diretto sulla produzione dei tessuti, avendo molte fabbriche in attivo che producono lino, cotone, lana e altri tessuti, e gestendo il 30% del mercato mondiale. Inoltre, essendoci stretta collaborazione tra industriali tessili* e stilisti, è possibile produrre abiti sempre nuovi in pochissimo tempo.

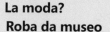

La moda? Roba da museo

Ecco come i musei hanno celebrato molti stilisti italiani.

- *Il Fashion Institute of Technology* di New York ha esposto gli abiti più belli di Gianni Versace, Dolce & Gabbana e molti altri.
- Al *Victoria and Albert Museum* di Londra sono stati esposti più di 100 abiti di Gianni Versace.
- La mostra *Cinquant'anni di moda italiana* ha avuto uno straordinario successo in America Latina e Giappone.
- Il museo Guggenheim di New York ha organizzato la mostra *Italian Methamorphosis* 1943-1968.
- La mostra *Trent'anni di magia dei vestiti* di Valentino a New York ha avuto 70.000 visitatori in meno di due settimane.
- I vestiti di Giorgio Armani sono stati esposti nei più importanti musei d'arte moderna del mondo.

1 Riscrivi le seguenti frasi in forma esplicita.

1 *Milano Moda Donna* presenta anche nuovi talenti, permettendo l'incontro con la stampa specializzata e i compratori.

_____

2 I grandi industriali hanno il controllo diretto sulla produzione dei tessuti, avendo molte fabbriche in attivo.

_____

3 Essendoci stretta collaborazione tra industriali tessili e stilisti, è possibile produrre abiti sempre nuovi in pochissimo tempo.

_____

Giorgio Armani aiuta l'UNHCR. Lo aiutano in questa importante iniziativa i famosi cantanti Eros Ramazzotti e Laura Pausini.

GLOSSARIO

attivo: _____

collezione: _____

cuore: _____

tessili: _____

testate: _____

2 Trova il significato giusto di questi modi di dire.

1 Mi sta a pennello!

   a ☐ Mi sta molto bene!

   b ☐ Mi sta molto male!

2 Questi pantaloni mi slanciano!

   a ☐ Sono troppo stretti!

   b ☐ Mi fanno sembrare più magro e più alto.

3 Scopri la frase: completa lo schema e leggi una frase di André Suares sulla moda.

4	8		1	5	9	8		7			
4	8		1 M	2 I	3 G	4 L	2 I	5 O	6 R	7 E	
9	7	4	4	7			16	8	6	14	7
10	11	7	4	4	8		9	5	19	7	
12	7	14	14	11	12	5		6	2	9	7
13	7	6	15	20	7		17	11	17	17	2
13	8	6	17	7	15	2	13	8	12	5	

In giro per vetrine
Ti va di andare a vedere i più bei negozi di moda italiani? Allora andiamo a Roma e Milano.

Roma: via Condotti

Passeggiando per questa prestigiosa e antica via di Roma, puoi vedere i negozi degli stilisti più famosi, come Ferragamo, Armani, Valentino o Trussardi. La via prende il nome dalle condotte* sotterranee dell'acqua, fatte costruire da papa Gregorio XIII nel 1600. A via Condotti c'è anche il più antico bar di Roma, il Caffè Greco, dove si beve uno dei migliori caffè della città. Negli anni, Il Caffè Greco, ospitando i personaggi più importanti della cultura e dell'arte, ha reso via Condotti una strada molto prestigiosa. Per questo i più importanti negozi di moda della città sono tutti qui.

Milano: via Montenapoleone

Qui capita* spesso di vedere star del cinema o della musica. La zona tra via Montenapoleone, Via della Spiga, via Sant'Andrea e via Pietro Verri, è il "quadrilatero* della moda", uno dei maggiori centri dell'alta moda mondiale. Qui, infatti, non solo ci sono i negozi degli stilisti, ma anche laboratori, cioè i luoghi dove gli stilisti lavorano. A Via Montenapoleone, le signore più ricche di Milano hanno spesso il *personal shopper*, un esperto di moda che consiglia loro cosa comprare.

L'Emporio Armani

È un tipo di negozio, voluto dallo stilista Giorgio Armani, dove è possibile comprare i suoi vestiti a prezzi contenuti*. Nel mondo ci sono 122 Empori Armani. Dice lo stilista: "Ho cinque linee*, disegno vestiti che costano migliaia di euro ma, con lo stesso amore, disegno abbigliamento *casual* a prezzi accessibili". In particolare, segnaliamo l'Emporio Armani di Milano per la sua bellezza. Elegante, bianco e metallico*, ospita importanti appuntamenti culturali. Un luogo di un'eleganza senza tempo, come tutte le cose di Armani.

L'Emporio Cavalli

Si trova a Milano ed è il luogo della mondanità* più sfrenata*. Non è solo un negozio dello stilista Roberto Cavalli, ma anche un bar di lusso con acquari e ascensori a forma di zucca, proprio come quella di Cenerentola. Qui anche il cibo è *design*. Per esempio, puoi mangiare il famoso carpaccio* "graffato*", con salse colorate di un grande effetto. Sarà buono? Di sicuro sarà caro...

E a Tokyo...

Il negozio Prada a Tokyo è un capolavoro di architettura moderna. È stato progettato da Jacques Herzog e Pierre de Meuron, due architetti svizzeri ideatori della Tate Gallery di Londra e dello stadio di Pechino per le Olimpiadi 2008.

1   Non solo moda
Completa ogni frase nel modo giusto.

1 ☐ In via Condotti c'è anche la sede dei...

2 ☐ Napoleone vietò l'importazione di caffè e il Caffè Greco...

3 ☐ Affittare un negozio in via Montenapoleone...

a   costa 7.000 euro al metro quadrato.

b   non servì caffè peggiore, ma ne servì meno e in tazze più piccole.

c   Cavalieri di Malta, che svolgono attività mediche ed umanitarie.

2   Questa è la mappa del "quadrilatero della moda". Siamo nel centro di Milano. Indovina la strada giusta.

1   Qual è il luogo di ritrovo dei giovani milanesi?

_____

_____

_____

2   Che strada prendi se vuoi arrivare al famoso teatro lirico La Scala?

_____

_____

_____

3   Che strada prendi se vuoi arrivare al Duomo di Milano?

_____

_____

GLOSSARIO

capita: _____

carpaccio: _____

condotte: _____

contenuti: _____

griffato: _____

linee: _____

metallico: _____

mondanità: _____

quadrilatero: _____

sfrenata: _____

3   🔊 14   Ascolta e completa il testo sulla Galleria Vittorio Emanuele, il "salotto" di Milano.

_____ piazza del Duomo, _____ i Portici Settentrionali, entri _____ Galleria Vittorio Emanuele, creata nel 1877. La chiamano "il salotto di Milano", perché è ricca di negozi, librerie, ristoranti e bar. Il braccio principale va _____ piazza del Duomo _____ piazza della Scala. _____ del braccio minore c'è una cupola alta 47 metri. Quando arrivi _____ piazza della Scala puoi vedere _____ sinistra il famoso teatro lirico La Scala, costruito nel 1776 sull'antica chiesa di S. Maria alla Scala, distrutta da un incendio.

14 Cinema

La storia del cinema italiano

Il cinema muto

Il cinema italiano nasce nel 1903 e la prima scena filmata è papa Leone XIII che benedice le macchine* da presa. In Italia si fanno soprattutto film storici, come il film *Cabiria* del 1914, che è anche il primo kolossal della storia. Va di moda anche il dramma* passionale, che crea le prime dive, come Francesca Bertini. La tragica realtà della Prima Guerra Mondiale crea il filone* realistico con film come *Assunta Spina*, ambientato nei quartieri poveri di Napoli. Negli anni '20 arrivano giovani registi, come Mario Camerini, i quali creano piacevoli commedie romantiche. Sono i "telefoni bianchi", cioè film romantici così detti perché ambientati nelle case dei ricchi, dove i "telefoni bianchi" erano il massimo dell'eleganza.

Il Neorealismo

Questa straordinaria corrente cinematografica nasce da una situazione concreta. Alla fine della Seconda Guerra Mondiale, infatti, la povertà di mezzi*, la necessità di girare per le strade, perché negli studi di Cinecittà vivono i profughi*, la presenza di alcuni registi geniali e la voglia di esprimersi liberamente dopo la dittatura fascista sono gli eventi che portano a un nuovo tipo di cinema.
Il Neorealismo porta la realtà sullo schermo - e ogni regista lo fa a modo suo, in piena libertà - e racconta in modo realistico la guerra, la povertà, i problemi sociali, raccontati in capolavori come *Roma città aperta* di Rossellini (1945) o *Ladri di biciclette* di De Sica (1948).

La Commedia all'italiana

La commedia ha sempre avuto un'importanza particolare nel cinema italiano. Gli anni '60, però, sono gli anni d'oro: nasce infatti la Commedia all'italiana, il cui primo film è *I soliti ignoti* di Mario Monicelli del 1958. Il nome di Commedia all'italiana nasce in senso spregiativo* dal film *Divorzio all'italiana* (1961) di Pietro Germi con Mastroianni e Stefania Sandrelli, dove in Sicilia un uomo uccide la moglie per poter sposare la bella e giovane cugina, da cui poi verrà tradito. I tratti più caratteristici di questi film, infatti, sono l'ironia, il paradosso e la denuncia dell'ipocrisia*.

I maestri

Contemporaneamente, escono i primi film di due giovani registi: Michelangelo Antonioni e Federico Fellini. Entrambi, anche se in modo diverso, raccontano le emozioni, i drammi e la solitudine umana. Antonioni ha uno stile sobrio*, con immagini perfette, belle come quadri. Fellini filma dei sogni, delle visioni, delle favole. Comunque, dopo film come *La strada* di

Fellini (1954) o *Le amiche* di Antonioni (1955), il cinema mondiale non sarà più lo stesso. Si fanno film su fatti di cronaca, come *Io la conoscevo bene* di Pietrangeli (tragica storia di una ragazza qualunque che cerca fortuna nella ricca Roma), o politici come *La battaglia di Algeri* (1966) di Gillo Pontecorvo.

Il cinema d'autore

Il boom economico degli anni '60 e le ribellioni sociali degli anni '70 danno ai registi molti suggerimenti. Ci sono film di denuncia sociale, di registi come Elio Petri con *Indagine su di un cittadino al di sopra di ogni sospetto* (1970) sulla politica corrotta, o Damiano Damiani con *Il giorno della civetta* (1967) sulla mafia, da un romanzo di Leonardo Sciascia. Ma c'è anche Luchino Visconti, che racconta in modo elegante e nostalgico mondi scomparsi, come la società aristocratica, in film come *La caduta degli dei* (1969) e *Il Gattopardo* (1963).

www.accademiadelcinema.it per imparare a fare cinema e conoscere tutte le novità
www.sceneggiatori.com per imparare a fare cinema

1 Sostituisci nelle seguenti frasi il relativo "che" con i relativi "il quale", "la quale", "i quali".

1 La prima scena è papa Leone XIII che benedice le macchine da presa.
_____

2 Va di moda anche il dramma passionale, che crea le prime dive.
_____

3 La Prima Guerra Mondiale e la vita che si fa dura, creano il filone realistico.
_____

4 Gli eventi che portano alla nascita del Neorealismo, sono eventi concreti.
_____

5 Va di moda anche il dramma passionale, che crea le prime dive.
_____

6 C'è anche Luchino Visconti, che è un elegante narratore di mondi scomparsi.
_____

2 🔊 15 Alberto Sordi è stato uno dei più grandi attori italiani. Ascolta un brano di un'intervista e segna i concetti che senti.

- ☐ Ha seguito scuole di recitazione
- ☐ Somigliava alla gente comune
- ☐ Ha recitato in quattro film di Federico Fellini
- ☐ Ha lavorato per 40 anni
- ☐ Ha interpretato 188 film
- ☐ Ha proposto al pubblico il costume italiano
- ☐ Non ha seguito l'evoluzione della società italiana

ALBERTO SORDI
IL MARCHESE DEL GRILLO
film di MARIO MONICELLI

GLOSSARIO

dramma passionale: _____

filone: _____

ipocrisia: _____

macchine da presa: _____

mezzi: _____

profughi: _____

sobrio: _____

spregiativo: _____

Capolavori del cinema

Ecco alcuni amici che, durante un corso di italiano, hanno visto alcuni bellissimi film del nostro cinema. Conosciamo le loro opinioni.

Roma città aperta (1945)
di Roberto Rossellini

È un film drammatico, doloroso. Si ispira ad una storia vera, quella del sacerdote don Luigi Morosini, torturato e ucciso dai nazisti perché aiutava la Resistenza*. Il film si svolge a Roma nel '43, quando la città era sotto l'occupazione* nazista. Ci sono molte scene terribili, che raccontano la violenza della guerra, i tradimenti, le torture. Quello che mi ha colpito però è la "semplicità" delle scene. Non ci sono primi* piani drammatici o scene con effetti speciali. Il regista vede e racconta. Nelle scene più importanti la macchina da presa è lontana dai protagonisti: noi vediamo la scena come se passassimo per caso. E poi non ci sono protagonisti: tutti i personaggi hanno la stessa importanza. Il film ebbe molti premi, come la Palma d'Oro a Cannes, e una *nomination* all'Oscar. In Italia, però, non venne apprezzato perché gli italiani avevano appena vissuto quelle cose e nessuno aveva voglia di rivederle.

Einar, Norvegia

Il Vangelo secondo Matteo (1964)
di Pier Paolo Pasolini

Il film segue fedelmente il testo del *Vangelo secondo Matteo* e racconta la vita di Gesù. È un Gesù molto umano, dolce ma anche forte, che si arrabbia contro l'ipocrisia e la falsità. Pasolini trasforma le parole in immagini: ci fa vedere quello che immaginiamo leggendo il testo! Una cosa straordinaria! Come fa spesso, Pasolini non usa attori professionisti. Per esempio, Enrique Irazoqui, l'attore che fa Gesù, si trovava per caso sul set. Tra gli attori, c'è anche una famosa scrittrice italiana, Natalia Ginzburg, che interpreta Maria di Betania. Anche la musica è bellissima: Bach e Mozart.

Abraham, Olanda

I soliti ignoti (1958)
di Mario Monicelli

Che risate! È proprio il contrario dei film d'azione di oggi! C'è una banda di poveracci* che vuole rapinare un banco* dei pegni. Nessuno di loro, però, sa fare niente e così cercano l'aiuto di un esperto. Studiano un piano "perfetto", ma... sbagliano strada! Così, quando fanno il buco nel muro per entrare nel banco dei pegni, si trovano nella cucina di una casa e rubano solo un piatto di pasta e ceci. Le situazioni sono comiche, ma non per farci ridere: sono comiche perché la vita è assurda. Quello che fa ridere noi, per i protagonisti è un dramma, una sconfitta. Come quando uno di loro, che è balbuziente*, deve contare il tempo e 10 secondi diventano un minuto.

Elzbieta, Polonia

Amarcord (1973)
di Federico Fellini

Questo film è un sogno meraviglioso. È la storia della giovinezza del regista a Rimini, negli anni '30. Un caleidoscopio* di personaggi, scene fiabesche, poesia... Come quando appare un pavone in mezzo alla neve o, nella notte, tutti aspettano il passaggio di un transatlantico pieno di luci o un vecchietto si perde nella nebbia. Ma è anche un film pieno di sberleffi*, non sempre educati o simpatici, perché Fellini non voleva fare un film nostalgico, ma fedele alla vita di quel periodo. Molto interessante è la rappresentazione del fascismo: ridicolo, volgare, aggressivo.

Veronika, Grecia

1 Abbina ogni attore al film giusto.

a I soliti ignoti   **b** Amarcord   **c** Roma, città aperta

1 ☐ Anna Magnani

2 ☐ Marcello Mastroianni

3 ☐ Aldo Fabrizi

4 ☐ Vittorio Gassman

5 ☐ Pupella Maggio

6 ☐ Totò

2 Una frase di Fellini: usa il codice e scoprila.

✪=A	☐=I	✱=M	✤=O	✦ =T
✳=G	■=L	●=N	★=S	▼=U

● ▼ ■ ■ ✪   ★ ☐   ★ ✪ ,

✦ ▼ ✤ ✤ ✤   ★ ☐

☐ ✳ ✱ ✪ ✱ ☐ ● ✪ .

GLOSSARIO

balbuziente: _____

banco dei pegni : _____

caleidoscopio: _____

occupazione: _____

poveracci: _____

primi piani: _____

Resistenza: _____

sberleffi: _____

3 Completa le frasi con l'espressione giusta.

effetto speciale   primo piano   protagonisti

1 Sordi e Gassman sono i _____ di *La grande guerra* (1959) di Mario Monicelli.

2 Un _____ dei protagonisti del *Gattopardo* (1963) di Luchino Visconti.

3 Un _____ del film *Miracolo a Milano* (1951) di Vittorio De Sica.

www.anica.it Il sito della più importante associazione cinematografica italiana

Registi italiani di oggi

Paolo Sorrentino

Nato a Napoli nel 1970, ha vinto l'Oscar con *La grande bellezza* (2014). La sua carriera, però, è ricca di grandi successi. Ha vinto quattro European Film Awards, un Premio BAFTA, cinque David di Donatello, sette Nastri d'argento e un Golden Globe. Anche la sua serie tv *The Young Pope,* con Jude Law protagonista, ha avuto successo in tutto il mondo. Molto successo hanno avuto *This Must Be the Place* (2011) con Sean Penn

e i film con il grande attore italiano Toni Servillo, come *L'uomo in più* o *Le conseguenze dell'amore*.

Paolo Virzì

È un erede* della grande Commedia all'italiana. Il suo primo film è *La bella vita* (1994) sul modo di vivere di una piccola città italiana, cui segue nel 1995 *Ferie d'agosto* che vince un David di Donatello.

Nel 1997 *Ovosodo* racconta le vicende* di un gruppo di adolescenti. Altri grandi successi sono *My name is Tanino* (2002) con le divertentissime vicende di un ragazzo di Napoli che finisce in America, fino a *Caterina va in città* (2003). Con *Ella & John* (2017), che ha come protagonisti Helen Mirren e Donald Sutherland, Virzì entra nel panorama del cinema internazionale.

Matteo Garrone

È un regista attento ai problemi sociali, alla cronaca e all'attualità. Tra i suoi film *L'imbalsamatore* (2002), che ha vinto due David di Donatello e due Nastri d'Argento, *Primo amore* che ha vinto l'Orso d'argento a Berlino e *Gomorra* (2008) che è stato tratto dal libro sulla criminalità organizzata di Roberto Saviano. *Gomorra* ha ottenuto candidature* ai Golden Globes e ai BAFTA, ha vinto il Gran Premio della Giuria a Cannes e cinque European Film Awards. Nel 2012 *Reality* ha vinto ancora a Cannes. Nel 2015 *Il racconto dei racconti,* che è un adattamento* di antiche fiabe, ha vinto sette David di Donatello.

Gianni Amelio

Calabrese, nato nel 1945 da due genitori davvero troppo giovani, cresce con la nonna: un'infanzia che dà il "tono" a molti suoi film, che spesso parlano di vicende familiari o di come gli adulti vedono i bambini e viceversa*. *I ragazzi di via Panisperna* (1989) racconta i sogni di giovani scienziati, tra cui Enrico Fermi e Ettore Majorana. Ne *Il ladro di bambini* (1992) si racconta il difficile viaggio da Roma alla Sicilia di un carabiniere* e un bambino. *Le chiavi di casa* (2004) è invece la vicenda di due fratelli, uno dei quali con handicap: il film è tratto dal romanzo *Nati due volte*, di Giuseppe Pontiggia.

1 Abbina ad ogni film la trama giusta.

1 ☐ *L'uomo in più*   **2** ☐ *Ferie d'agosto*

3 ☐ *Caterina va in città*   **4** ☐ *This Must be the Place*

a La famiglia di Caterina (13 anni) si trasferisce a Roma dal suo piccolo paese. Nella capitale Caterina deve affrontare i tanti problemi di una nuova vita. Anche i rapporti con i suoi genitori diventano più difficili. Ma alla fine la giovinezza e la speranza vincono.

b Cheyenne è una ex-rock star. Deluso* dalla musica e spaventato dalla vita, decide di vendicare* il padre morto che – durante la guerra – fu umiliato da un soldato nazista. Comincia così un lungo viaggio che lo porta a fare pace con la vita.

c Un gruppo di amici parte per una vacanza, ma presto i diversi modi di vivere e di pensare si scontrano tra loro. Un ritratto dolce-amaro dell'Italia di oggi, tra vecchi pregiudizi e futuro.

d È la storia di un cantante e di un calciatore. Dopo una vita di successi, ora i due provano il sapore amaro del fallimento*.

I premi del cinema italiano

Il David di Donatello è assegnato dall'Accademia del Cinema Italiano. Il Nastro d'Argento, invece, è assegnato annualmente dal 1947 dal Sindacato Nazionale dei Giornalisti Cinematografici Italiani.

www.daviddidonatello.it è il sito dell'Accademia del cinema italiano.

Il premio David di Donatello.

CILS ATTIVITÀ SCRITTA

Scrivi il soggetto di un film.
Un soggetto contiene tutta la storia del film in poche righe.

_____
_____
_____
_____
_____
_____
_____
_____
_____

GLOSSARIO

adattamento: _____

candidature: _____

carabiniere: _____

deluso: _____

erede: _____

fallimento: _____

vendicare: _____

vicende: _____

viceversa: _____

15 Musica

Cantare, oh oh…!

La storia della musica italiana… in 8 canzoni.

▶ 1848

LA CANZONE NAPOLETANA

Si chiama così perché nasce a Napoli ed è cantata in dialetto* napoletano. È una "canzone d'autore", cioè scritta da veri autori di testi. Parla d'amore, di lavoro, della vita della gente. Diventa famosa in tutto il mondo perché i cantanti lirici la cantano durante i loro spettacoli. *Marechiare*, di Salvatore Di Giacomo divenne così famosa da essere tradotte in molte lingue.

▶ 1880

LE CANZONI DEL LAVORO

Sono canzoni, spesso in dialetto, che raccontano il duro lavoro della povera gente. Nascono alla fine dell'Ottocento nell'Italia del Nord, quando cominciano le prime lotte* dei lavoratori. *Gli scariolanti* è una canzone dell'Emilia Romagna dedicata ad alcuni dei lavoratori più poveri. Gli scariolanti scavavano e portavano via la terra per bonificare* le zone paludose della Pianura Padana.

▶ 1958

NEL BLU DIPINTO DI BLU

Nel 1958 Domenico Modugno vince il Festival di Sanremo con questa canzone, conosciuta in tutto il mondo come *Volare*. È una canzone così nuova da fare scandalo. Infatti, ha un testo surreale, che racconta un sogno. Anche il modo di cantarla era così nuovo da scandalizzare il pubblico. Modugno, infatti, la cantò a braccia spalancate*.

www.domenicomodugno.it

▶ 1968

CANZONE DI MARINELLA

È di Fabrizio De André, il più grande dei cantautori italiani. Alla fine degli anni '60 alcuni musicisti di Genova cominciarono a scrivere musica e testi delle canzoni che cantavano, cosa mai successa prima, e presero il nome di "cantautori". De André è stato sicuramente il più bravo, tanto da essere considerato un poeta. Le sue canzoni parlano d'amore ma denunciano* anche la guerra, l'ipocrisia e la malvagità*.

www.fabriziodeandre.it

1972

IO VORREI... NON VORREI... MA SE VUOI...

Il cantante Lucio Battisti e il paroliere* Mogol furono i protagonisti degli anni '70, raccontando amori "moderni", dolorosi, fatti di abbandoni, di ripensamenti, di solitudine. Dopo Battisti la canzone d'amore, tanto importante in Italia da diventarne quasi un simbolo, non fu più la stessa.

www.luciobattisticollection.it

1983

VITA SPERICOLATA

Vasco Rossi è il primo vero cantante rock italiano. Una carriera nata con questa canzone e talmente legata* alla vita della gente da durare ancora oggi. Le canzoni di Vasco, da quelle più rock a quelle più melodiche, hanno aperto la strada alla libera espressione dei sentimenti, alla capacità di ammettere i propri sbagli, il tutto con uno stile molto aggressivo e sincero.

www.vascorossi.net

1991

SENZA UNA DONNA

Zucchero Fornaciari, o semplicemente Zucchero, è un misto di rock, blues e tradizioni dell'Emilia Romagna, la sua regione di origine. Con questa canzone, incisa con Paul Young, diventa una stella internazionale. Nel 1992 organizza, con Luciano Pavarotti, l'evento di beneficienza* "Pavarotti and Friends". Oggi Zucchero è forse il cantante italiano più famoso nel mondo. Ha cantato con tutti i più grandi artisti di oggi e in luoghi di prestigio* assoluto come il Radio City Music Hall di New York. Una vera leggenda della musica italiana.

www.zucchero.it

2015

C'È SEMPRE UNA CANZONE

È la canzone con cui Luciano Ligabue, per tutti Liga, ha festeggiato 25 anni di carriera. Liga è forse il *rocker* più amato in Italia. Il suo concerto a Campovolo, vicino Reggio Emilia, nel 2005, è stato il più grande d'Europa, con circa 170 mila persone. Nel 1998 è diventato anche regista e il suo film *Radio Freccia* ha vinto il David di Donatello e il Nastro d'Argento del cinema italiano. Canzoni come *Balliamo sul mondo* (1990) o *Certe notti* (1995) fanno parte ormai della tradizione moderna della musica italiana.

www.ligabue.

GLOSSARIO

beneficienza: _____

bonificare: _____

denunciano: _____

dialetto: _____

legata: _____

lotte: _____

malvagità: _____

prestigio: _____

paroliere: _____

spalancate: _____

I luoghi della musica

Voglia di musica? L'Italia è così ricca di teatri e luoghi dove andare, che non c'è che l'imbarazzo della scelta!

Il Teatro la Scala di Milano

La Scala appartiene alla storia della lirica italiana. Tutti i maggiori compositori* dell'Ottocento presentarono qui le loro opere più famose, dalla *Norma* di Vincenzo Bellini, all'*Otello* di Giuseppe Verdi, alla *Turandot* di Giacomo Puccini. Costruita dopo che un incendio aveva distrutto il Teatro Regio Ducale nel 1776, la Scala è stata recentemente ristrutturata* dall'architetto Mario Botta. Botta ha aggiunto sul tetto del teatro una costruzione che contiene uffici, sale prova e camerini, e una grande torre* scenica. Una ristrutturazione tanto particolare da suscitare molte discussioni. I milanesi, infatti, chiamano la costruzione sul tetto "il garage", tanto è brutta, secondo loro.

www.teatroallascala.org

L'Auditorium di Roma

Ideato dall'architetto Renzo Piano, è così grande e ben progettato da essere una "città della musica". Ci sono negozi, bar, biblioteche e anche l'Accademia di Santa Cecilia, uno dei conservatori* più prestigiosi del mondo. Ha tre grandi sale a forma di scarabeo, un anfiteatro all'aperto, un grande parco, sale prova e sale registrazione. La sala più grande può ospitare* 27.000 spettatori ed è per la musica classica.

1 Abbina ad ogni compositore italiano l'opera lirica giusta.

1 ☐ Pietro Mascagni (1863-1945)   2 ☐ Giuseppe Verdi (1813-1901)

3 ☐ Giacomo Puccini (1858-1924)   4 ☐ Vincenzo Bellini (1801-1835)

a La Norma
Tragica storia d'amore tra Norma, sacerdotessa dei druidi, e il romano Pollione.

b Madama Butterfly
L'impossibile amore tra un marinaio americano e una donna giapponese.

c Cavalleria rusticana
Tratto da una novella di Giuseppe Verga. Storia di gelosia in Sicilia.

d Aida
Radames è combattuto tra il suo amore Aida, nemica, e la fedeltà al Faraone.

Quella media ospita 12.000 persone ed è per il balletto e la musica da camera. Ha il palcoscenico mobile e il soffitto regolabile*. La sala piccola ha 500 posti con pavimento e soffitto regolabili.

www.auditorium.com

L'Arena di Verona

Si tratta di un antico anfiteatro romano del II secolo d.C. Il nome deriva dalla sabbia che copriva l'interno della platea, dove si svolgevano giochi e combattimenti.
Oggi ha il più grande palcoscenico del mondo: 47 metri per 28.
Ospita una prestigiosissima stagione lirica. L'Arena diventò ufficialmente un teatro lirico nel 1913 quando, per festeggiare il centenario della nascita di Giuseppe Verdi, fu rappresentata l'*Aida*.
www.arena.it

Il Teatro San Carlo di Napoli

È il più antico teatro d'Europa. Fu voluto da re Carlo di Borbone nel 1773 e progettato da Giovanni Antonio Medrano. Medrano progettò una sala con 184 palchi ed un palco reale così grande che poteva contenere 10 persone. Una costruzione velocissima, tanto che solo otto mesi dopo il teatro era pronto. Al San Carlo si rappresentano opere liriche ma anche l'opera* buffa napoletana e balletti.
www.teatrosancarlo.it

Il melodramma italiano

È sinonimo di "opera lirica". Nasce a Firenze alla fine del XVI secolo, da un gruppo di letterati che cercavano di riprodurre la tragedia greca, cioè uno spettacolo che unisse parole, musica e una storia da guardare. L'epoca d'oro del melodramma è sicuramente l'Ottocento, con compositori come Verdi o Puccini, quando il melodramma diventa uno spettacolo amato da ricchi e poveri. E con il melodramma nascono anche i primi divi*.

GLOSSARIO

compositori: _____

conservatori: _____

divi: _____

opera buffa: _____

ospitare: _____

regolabile: _____

ristrutturata: _____

torre scenica: _____

2 Curiosità... Verdi
A numero uguale, corrisponde lettera uguale. Completa lo schema e leggi una curiosità su Giuseppe Verdi.

1 V	2 E	3 R	4 D	5 I			6 S	7 C	3 R	5 I	6 S	6 S	2 E
8 L'	9 A	5 I	4 D	9 A				10	2	3			
7	2	8	2	11	3	9	3	2		8	9		
9	10	2	3	12	13	3	9			4	2	8	
7	9	14	9	8	2		4	5		6	13	2	15

Italiani superstar

Andrea Bocelli e Eros Ramazzotti: ormai due leggende della musica italiana e delle star famose in tutto il mondo. Il primo è una star della musica lirica, il secondo della musica* leggera.

Andrea Bocelli

Circa 80 milioni di dischi venduti nel mondo, tutti i premi possibili e immaginabili vinti: questa, in due parole, la carriera di questo straordinario cantante lirico, toscano fino al midollo e amante dei cavalli. Ha iniziato la carriera nel 1994, al Festival di Sanremo con la canzone *Il mare calmo della sera*. L'anno seguente, sempre a Sanremo, canta *Con te partirò* che, in seguito, diventa un successo mondiale, nella versione inglese *Time to Say Goodbye* con Sarah Brightman. Nel 2010 il suo nome è stato inserito nella *Hollywood Walk of Fame* di Hollywood. La sua grande passione, oltre alla musica, sono i cavalli.

Canta che ti passa*

La sua passione per la musica è nata quando era ancora molto piccolo. Dice Andrea: "Mia madre mi racconta che la musica mi piaceva così tanto che smettevo subito di piangere. Genitori e parenti, allora, fecero a gara a regalarmi dischi! Si accorsero che mi piaceva soprattutto la musica lirica, perché questi vocioni colpivano la mia fantasia".
E aggiunge: "Ho sempre mantenuto questa passione. Io sono un passionale e questo mi porta ad impegnarmi* sempre al massimo. Perché ciascuno di noi deve mettercela tutta per arrivare primo. In questa lotta, in un certo senso, c'è qualcosa di morale. Quando uno lotta così, impara a conoscere il meglio di sé e questo arricchisce ciascuno di quelli che gli stanno intorno".

Alcuni dei suoi successi

Con te partirò	1997
Romanza	1997
Vivo per lei	1997
Miserere	1999
The prayer	2001
Dell'amore non si sa	2004
La voce del silenzio	2013

Eros Ramazzotti

Più di 30 anni di carriera e 70 milioni di dischi venduti nel mondo, ne hanno fatto una delle più grandi star italiane. Nato a Roma il 28 ottobre 1963, ha conquistato il successo con la canzone *Terra promessa*, con la quale vinse il Festival di Sanremo nel 1984. Seguirono *Una storia importante* e *Adesso tu*, presentate sempre al Festival, con un successo così grande da diventare delle icone* giovanili. Nel 1987 ha il suo primo duetto* importante, quello con Patsy Kensit nella canzone *La luce buona delle stelle*. Nel 1990 esce l'album *In ogni senso* che lo consacra* star mondiale e il suo concerto al Radio City Music Hall di New York fa il tutto esaurito. Da allora la sua carriera non si è mai fermata. Eppure Eros è rimasto il semplice ragazzo di periferia di un tempo e dice di sé...

Le canzoni più amate
Ramazzotti ha scritto centinaia* di canzoni. Queste, secondo un sondaggio, quelle più amate dagli italiani:

Terra promessa	1984	Ti vorrei rivivere	2003
Adesso tu	1986	Quanto amore sei	2004
Cose della vita	1993	Parla con me	2009
Fuoco nel fuoco	2000	Rosa nata ieri	2017
Solo ieri	2003		

🔊 16   **CILS**

1 Ascolta le parole di Eros e scrivine un breve riassunto.

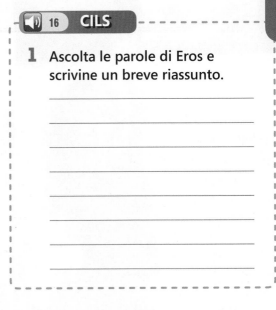

_____
_____
_____
_____
_____
_____
_____

GLOSSARIO

canta che ti passa : _____

centinaia: _____

consacra: _____

duetto: _____

icone: _____

impegnarmi: _____

musica leggera: _____

2 Usa un vocabolario di italiano e scrivi il significato di questi modi di dire.

1 Possibili e immaginabili

_____

2 Fino al midollo

_____

3 Fare a gara

_____

4 Mettercela tutta

_____

5 In due parole

_____

Le notti della musica

Preferisci la musica classica, quella leggera, il jazz, la musica popolare… scegli l'evento musicale che preferisci: ce n'è per tutti i gusti!

Umbria Jazz

A luglio, per 10 giorni, le piazze, le strade, i giardini e i locali* pubblici di Perugia, in Umbria, diventano altrettanti palcoscenici. I più grandi musicisti jazz del mondo si* impadroniscono della città e ci sono decine* di concerti dalla mattina alla sera. Nato nel 1973, Umbria Jazz era all'inizio una manifestazione itinerante*: voleva portare la musica tra la gente comune, organizzando concerti in varie città dell'Umbria. Poi si decise di portare tutto a Perugia, più adatta ad accogliere grandi quantità di pubblico. Oggi Umbria Jazz è una delle più importanti manifestazioni musicali del mondo.

Il Festival di Sanremo

È il festival "storico" della musica* leggera italiana e ha lanciato i più famosi cantanti italiani: da Domenico Modugno a Zucchero, da Laura Pausini a Eros Ramazzotti e Bocelli. Si tratta di una gara di canzoni che si tiene a febbraio. Nato nel 1951, dura una settimana e, anche se il suo successo è forse un po' diminuito negli anni, è seguito da almeno 10 milioni di spettatori.

La notte della Taranta

È il più grande festival d'Italia e, ogni anno in agosto, migliaia di persone vanno in diverse città del Salento (in Puglia) per ballare la Taranta, una forma di musica popolare… scatenata*, tanto scatenata che la gente arriva da tutta Italia per ballarla e divertirsi! La taranta è un tipo di musica "magica". Secondo la tradizione, serviva per curare il morso di un ragno velenoso, la tarantola. Oggi è una tradizione musicale piena di vita, a suono di tamburello*.

1 Il cantante
È il fenomeno degli ultimi anni. Ironico, divertente, attento alle "manie" degli italiani, questo cantante è diventato famoso al Festival di Sanremo, che ha vinto nel 2017 con la canzone "Occidentali's Karma". Si chiama Francesco... completa lo schema e scoprilo.

1 La città di Umbria Jazz.
2 Il ragno velenoso della taranta.
3 Il Festival di Sanremo si tiene nel mese di...
4 Lo strumento della taranta.
5 La zona della Puglia dove si tiene la Notte della Taranta.
6 Il nome di Modugno
7 All'inizio Umbriajazz era una manifestazione...

2 Le consecutive
Completa le frasi nel modo giusto.

1 ☐ Il Festival di Sanremo ha ancora tanto successo...

2 ☐ Umbria Jazz ebbe così tanto successo...

3 ☐ La taranta è così scatenata...

4 ☐ Il Festival di Sanremo dura talmente tanto...

a ... che arrivano da tutta Italia per ballarla e divertirsi.

b ... che molti si stancano di guardarlo per una settimana intera!

c ... da essere seguito da 10 milioni di spettatori.

d ... che solo Perugia poteva accogliere tanti spettatori.

GLOSSARIO

decine di: _____

itinerante: _____

locali pubblici: _____

musica leggera: _____

scatenata: _____

si impadroniscono: _____

tamburello: _____

16 Arte e patrimonio

L'Italia dell'Unesco

L'Italia è al primo posto nel mondo per il numero dei luoghi dichiarati "Patrimonio universale" dall'UNESCO. Ecco alcune delle 53 "meraviglie d'Italia".

Le Cinque Terre

Si tratta di una zona sulla costa della Liguria e... non bisogna assolutamente perdersela! Si tratta di cinque miglia di costa rocciosa su cui si trovano 5 piccoli paesi: Monterosso, Vernazza, Corniglia, Manarola, Riomaggiore. Il paesaggio è davvero straordinario. In particolare, bisogna ammirare i muri in pietra delle coltivazioni "a terrazzo". Si tratta di coltivazioni fatte su colline dove è stato necessario costruire moltissimi muretti per creare zone pianeggianti. Questi muretti hanno centinaia di anni e, messi in fila, solo lunghi 11 mila chilometri: come la muraglia cinese!

I trulli di Alberobello

Si tratta di costruzioni di pietra a* secco e ogni trullo corrisponde ad un ambiente della casa. Così, per fare una casa intera, c'è bisogno di più trulli. Alberobello nacque tra il 1400 e il 1500, quando i Conti di Conversano, proprietari di quelle terre, vi mandarono un gruppo di contadini. In quel periodo era possibile costruire case solo con l'autorizzazione del re ma, per averla, bisognava pagare. Per non pagare, i Conti ordinarono ai contadini di costruire case senza usare cemento, case da distruggere facilmente. Bastava attaccare una corda alla cima del trullo, tirarla e il trullo crollava* in un istante.

La valle dei templi, Agrigento

Vale assolutamente la pena visitarla! Infatti, è la più importante testimonianza della civiltà greca in Sicilia (V secolo a.C.). Tra i templi, bisogna ricordare quelli di Zeus Olimpo, di Castore e Polluce, della Concordia, di

Hera e il tempio di Eracle. Si noti che tutti gli edifici sono rivolti ad est. Per la religione greca, infatti, bisognava che il sole illuminasse la porta d'ingresso del tempio, per onorare la divinità.

Centro storico di San Gimignano

San Gimignano è una splendida cittadina medievale della Toscana, famosa in tutto il mondo per le sue torri, simbolo della ricchezza e del potere delle sue famiglie nobili. Una volta San Gimignano aveva ben 72 torri, ma oggi ne restano solo 14.

Manarola

a secco: _____

crollava: _____

sovrapposte: _____

Centro storico di Pienza

Bisogna ricordarla perché Pienza è stata sia la prima città "moderna", sia il simbolo del Rinascimento. Qui, infatti, per la prima volta palazzi religiosi e civili si trovano nella stessa piazza, in una struttura piena di razionalità e armonia. La volle così papa Pio II che vi era nato. Con la collaborazione del grande architetto Giovan Battista Alberti, il piccolo paese si trasformò in uno straordinario esempio di arte rinascimentale.

Chiesa di San Francesco, Assisi

Ad Assisi nel 1182, nacque San Francesco. Alla sua morte, nel 1228, papa Gregorio IX fece costruire la basilica. Questa è composta da due chiese sovrapposte*. In quella inferiore si trova la tomba del santo.
La basilica è famosa anche per i bellissimi affreschi di Giotto che rappresentano la vita del santo.

Costiera amalfitana

Bisogna assolutamente andarci! Caratteristiche sono le sue coltivazioni "a terrazzo", soprattutto di limoni. Inoltre, la zona è ricca di storia. Amalfi, per esempio, era una delle ricche e potenti Repubbliche Marinare medievali.

Maestri dell'arte

Il patrimonio artistico italiano è davvero infinito. Abbiamo scelto 3 artisti italiani che hanno rivoluzionato l'arte mondiale. Cerchiamo di capire come e perché.

ARTE ROMANICA (X-XIII secolo d.C.)

Si esprime soprattutto nell'architettura e nel bassorilievo. Nelle costruzioni si ispira all'antica Roma, con edifici semplici e monumentali, archi a tutto sesto, colonne e volte. Esprime soprattutto semplicità, purezza e spiritualità.

Il duomo di Pisa

ARTE GOTICA (XII-XVI secolo d.C.)

Si realizza soprattutto nell'architettura, caratterizzata da volte a crociera, colonne e archi a sesto acuto. Il suo scopo, infatti, è "avvicinarsi a Dio", quindi le sue costruzioni hanno una grande verticalità.

Simone Martini (1284-1344)

Nato a Siena, elabora con grande eleganza il tipico "distacco" bizantino, con bellissime linee curve e colori vivaci. Per primo, rende umani i personaggi sacri. La sua opera più famosa è *L'Annunciazione*, oggi agli Uffizi di Firenze.

L'UMANESIMO (1400)

È una corrente artistica che nasce a Firenze nel 1400, sulla riscoperta dei valori di bellezza e armonia della classicità. Il nome deriva dalla parola latina *humanitas*, che significa "tutto ciò che è degno dell'uomo". Si sviluppa soprattutto in letteratura, ma i suoi concetti arrivano anche ad architettura, scultura e pittura.

Filippo Brunelleschi (1377-1446)

Nato a Firenze, architetto, costruì la cupola del Duomo di Firenze in modo rivoluzionario, cioè senza sostegni. Sviluppò i concetti matematici della prospettiva, influenzando tutta la pittura del Rinascimento.

GIOTTO (1267-1337)

La pittura diventa reale

Per primo introduce in pittura il senso dello spazio, del volume e della naturalezza.
Giotto porta la realtà nella pittura, con l'espressione dei volti, i gesti naturali, la solidità dei corpi e dei colori. La sua naturalezza, però, non significa copiare la realtà: la realtà di Giotto, infatti, è sempre armoniosa, simmetrica e piena di significati religiosi e morali. Tra le sue opere maggiori, gli affreschi sulla vita di San Francesco ad Assisi e della Cappella degli Scrovegni a Padova e il progetto del campanile del Duomo di Firenze.

L'omaggio di un semplice

Gli affreschi di Assisi

Dal 1296 al 1300 Giotto dipinge una serie di 28 affreschi sulla vita di San Francesco nella Basilica superiore di Assisi. Questi affreschi sono un capolavoro di concretezza e di umanità dove viene rappresentata, per la prima volta, la vita quotidiana: i vestiti, gli oggetti, i mestieri, le città...

Il presepe di Greccio

Anche quando Giotto dipinge i miracoli del santo, la scena non è mai concitata, ma calma, "classica". Le scene non sono unite tra loro, ma ciascuna è inserita nello spazio architettonico della chiesa.

Il campanile del Duomo di Firenze

Nel 1334 Giotto progetta il campanile del Duomo di Firenze. Questa costruzione è la massima espressione del "senso del colore" di Giotto. Egli, infatti, usa marmi bianchi, rossi e verdi per "colorare" lo spazio. Il campanile, in realtà, serve solo per decorare la piazza. Il campanile, infatti, grazie alle finestre sempre più grandi, è "leggerissimo" e colorato.

La Cappella degli Scrovegni

La Cappella degli Scrovegni è una piccola chiesa di Padova, affrescata da Giotto tra il 1303 e il 1305. Qui lo studio della figura umana fa grandi progressi e le figure sembrano avere realmente un "peso" e appoggiare veramente su pavimenti, prati o altro.

LEONARDO DA VINCI (1452-1519)

L'importanza di essere curiosi

Semplicemente, il genio. Pittore, inventore, architetto, scienziato... nessun campo del sapere è sconosciuto a Leonardo. La sua produzione è enorme e variegata. Vogliamo parlare delle sue fortificazioni militari? O delle macchine per volare? Dei capolavori come *L'Ultima cena* o *La Vergine delle rocce*? O dei suoi studi sul corpo umano? Secondo Leonardo la natura – cioè il mondo intero in tutti i suoi fenomeni – è "*molto maggiore e più degna cosa a leggere*", cioè è più importante dello studio sui libri. Lui stesso, del resto, non conosceva il latino, la lingua degli studiosi del tempo. Così decise di impararlo da solo a 42 anni, solo per dimostrare che... non ci vuole poi tanto!

La *Vergine delle rocce* (1483)

È uno dei simboli della libertà mentale di Leonardo. La Confraternita della Concezione di Milano, infatti, chiede a Leonardo un quadro con un soggetto ben preciso: Gesù Bambino, San Giovanni e la Madonna. Ma Leonardo non rispetta il contratto e l'opera è così ambigua da essere quasi scandalosa. Ne nasce un processo che durerà 25 anni. La scena, in effetti, non è chiara e il vero protagonista sembra essere San Giovanni. Gesù Bambino, infatti, lo benedice, l'angelo lo indica e la Madonna lo abbraccia, mentre sembra allontanare con l'altra mano Gesù. Da notare la simbologia dei fiori: l'iris significa pace, l'edera significa fedeltà e l'anemone significa morte.

L'*Uomo vitruviano* (1490)

Questo disegno nasce dalla dimostrazione della teoria dell'architetto Vitruvio, del I secolo avanti Cristo. Secondo Vitruvio la figura umana può essere contenuta da due figure geometriche perfette: il cerchio e il quadrato. Leonardo va oltre: per la prima volta sovrappone nello stesso disegno la stessa figura.

Il RINASCIMENTO (1500)

Perfeziona i concetti dell'Umanesimo, esprimendo la centralità dell'uomo nella creazione divina. Le sue chiese e i suoi palazzi sono fatti su misura per l'uomo, la sua vita e la sua importanza nel mondo.

Raffaello Sanzio (1483-1520)

Con lui l'arte ritrae la natura, ma la natura perfetta, bellissima, classica. Tutto nelle sue opere è sereno, perfettamente armonioso. Fu un grandissimo ritrattista. Il suo tema preferito è la Madonna col Bambino, tema tipicamente italiano che egli seppe rappresentare in mille modi.

Madonna della seggiola

Caravaggio (1561-1610)

Introduce il naturalismo in pittura: facce e mani rovinate dal lavoro, frutta troppo matura... il tutto illuminato da luci drammatiche, fortissime e teatrali. Sono pochi i quadri in cui il pittore dipinge lo sfondo: protagoniste dei suoi quadri sono quasi esclusivamente le figure umane.

Fanciullo con canestro di frutta

BAROCCO (1600)

Il 1600 è un secolo di guerre che distrugge ogni idea di armonia. Il Barocco nasce come risposta cattolica al rigore dei Protestanti. Ha lo scopo di diffondere le idee cattoliche, "catturando" il cuore del popolo con immagini drammatiche e grandiose. Tipici i sono il movimento delle figure e i contrasti tra luce ed ombra.

Salvator Rosa (1615-1673)

Napoletano, darà l'ispirazione a tutti gli artisti romantici. I suoi paesaggi sono naturali ma misteriosi e tutto è grandioso nei suoi dipinti: la luce, i gesti, il movimento.

CILS ESPRESSIONE ORALE

Leonardo amava queste qualità umane. Tu quale hai?
Quale vorresti sviluppare e come? Spiegalo ai tuoi compagni.

- ☐ **Curiosità:** imparare sempre e da tutto, voler sapere.
- ☐ **Dimostrazione**: verificare sempre se le tue idee sono giuste o sbagliate.
- ☐ **Sensazione**: saper guardare, ascoltare e toccare per perfezionare l'esperienza.
- ☐ **Relatività**: saper accettare il dubbio e coltivare l'ironia.
- ☐ **Corporalità**: cioè coltivare l'eleganza e la forma fisica.
- ☐ **Connessione**: capire che nel mondo tutto è collegato e noi siamo una parte del tutto.

IL NEOCLASSICISMO (1700-1830)

Nasce come rifiuto delle stranezze del barocco e accettazione delle idee razionali dell'Illuminismo. Per la prima volta, gli artisti scelgono liberamente che cosa vogliono rappresentare. Così scompaiono i soggetti religiosi e compaiono quelli borghesi. Lo stile è "fotografico": lineare e pulito, con colori freddi e semplici.

IL ROMANTICISMO (1830-1860)

In Italia coincide con il Risorgimento (1820-1860), cioè le guerre fatte per liberarsi dal dominio degli stati stranieri. Per questo, il Romanticismo italiano non è orrido, tormentato o spirituale, ma energico e legato al sentimento patriottico. In pittura, si afferma il genere del paesaggio.

Il bacio

Francesco Hayez (1791-1882) Il suo stile è neoclassico, ma i suoi soggetti sono così romantici da essere considerati il "manifesto" del romanticismo italiano, fatto di battaglie e personaggi storici.

I MACCHIAIOLI (1850 circa)

Movimento italiano, nato a Firenze tra i giovani artisti che rifiutano i temi mitici e storici, per dipingere la realtà italiana, le battaglie per l'Indipendenza e la società. Il nome deriva dalla tecnica di dipingere "a macchie". Secondo i macchiaioli la forma non esiste ma è creata dalla luce e dal colore. Il suo massimo esponente è Giuseppe Fattori.

La mandriana

IL DECADENTISMO (1860-1900)

È un movimento letterario, ma i suoi principi influenzeranno gli artisti del '900. Esasperazione dell'emotività e grande sfiducia nella ragione sono i suoi concetti fondamentali. La realtà è troppo complessa e misteriosa per essere capita. L'unica soluzione è cercare la bellezza e ribellarsi alla società.

MICHELANGELO BUONARROTI (1475-1564)

La vita è bellezza

Con Michelangelo l'arte esprime, per la prima volta e al massimo, il concetto di "bello". Per lui la bellezza è la massima espressione delle capacità umane, la glorificazione dell'uomo. In lui il senso della bellezza è talmente assoluto da sconvolgere completamente chi guarda le sue opere. Ma la bellezza è difficile. Michelangelo vive in un mondo che cambia velocemente. Cristoforo Colombo dimostra che la terra non è piatta e scopre l'America. Martin Lutero divide l'unità dei fedeli con la Riforma... In mezzo a tali cambiamenti Michelangelo cerca la bellezza assoluta, una bellezza che, però, è anche dramma, difficoltà di vivere, profonda umanità.

Una vita difficile

Michelangelo ha una vita difficile, piena di contrasti. Fu sempre protetto dalla famiglia de' Medici, anche quando combatté contro di loro nel 1530. L'incontro con il Savonarola – il terribile frate che condanna la ricchezza della Chiesa – fa nascere in lui forti critiche verso la Chiesa e grandi dubbi religiosi. Litiga con i papi e con i politici. Dopo un litigio con Papa Giulio II, il papa per fare pace, gli affida gli affreschi della Cappella Sistina, dove il *Giudizio Universale*, però, scandalizza tutti per i suoi nudi e l'impostazione della scena. Negli ultimi venti anni della sua vita Michelangelo si occupa di architettura: finisce di costruire la Biblioteca Laurenziana a Firenze e Piazza del Campidoglio a Roma. E infine il suo capolavoro, la cupola della Basilica di San Pietro.

1 Trova 18 parole dell'arte nello schema e leggi una curiosità su Michelangelo.

```
P I C O L O R I E L R O D E
A B A S S O R I L I E V O M
V C R O C I E R A N E D I C
A I C C U P O L A E G A L I
N C O H L A F F R E S C H I
G P I T T O R E I E E U S E
U F I G U R E D I F S T A R
A E U N R I N V E N T O R E
R A S T A A T C O L O N N A
D P R O S P E T T I V A U A
I D M A C C H I A I O L I I
A N E P A E S A G G I O V E
```

2 🔊 17

La Cappella Sistina. Ascolta il brano e scrivi un breve depliant turistico sugli affreschi della Cappella Sistina.

_____
_____
_____
_____
_____
_____
_____
_____
_____
_____
_____
_____

La *Pietà* (1497-1499)

È una delle prime opere di Michelangelo e si trova nella Basilica di San Pietro. La composizione ha la forma di una piramide. Le figure della Madonna e del Cristo formano una croce. Le pieghe dell'abito ricordano quelle delle statue di legno dell'Europa del Nord, che si rifanno alla liturgia del Venerdì Santo.

Il *David* (1501)

Fu una vera rivoluzione. Infatti, la rappresentazione classica dell'eroe ebraico fu distrutta per sempre. In questa opera David è un giovane uomo calmo ma pronto all'azione. Non sembra avere paura, anche se sta per affrontare un pericolo. È sicuro di sé, del proprio corpo e delle proprie capacità. Secondo molti, è la raffigurazione del vero cittadino del Rinascimento.

Piazza del Campidoglio (1538)

Secondo la leggenda, Papa Paolo III, dopo la visita dell'imperatore Carlo V, decise di sistemare Piazza del Campidoglio. La piazza infatti era molto malandata e il papa se ne era vergognato. Michelangelo "girò" la piazza verso la Basilica di San Pietro, il nuovo centro politico della città. Per fare questo "chiuse" la piazza con il Palazzo Nuovo, rese più moderno il Palazzo dei Conservatori e fece una grande scalinata. Al centro della piazza c'è la statua romana dell'imperatore Marco Aurelio, resa ancora più importante da una bellissima decorazione geometrica.

La cupola di San Pietro (1514)

Dà inizio all'architettura moderna. Al centro della Basilica di San Pietro, infatti, la grande cupola sembra essere parte del cielo: azzurra e solenne, quasi divina. Ma a guardare   bene, la cupola è fatta di tanti elementi distinti tra loro. Gli "spicchi" sono divisi tra loro, gli angoli sono messi bene in evidenza. È l'inizio del molteplice, del contraddittorio, del non finito. Michelangelo morì prima di finire l'opera.

IL FUTURISMO (1909-1918)

È un'avanguardia creata dal poeta e scrittore Filippo Tommaso Martinetti nel 1909, che influenza tutta l'arte europea. Si basa sul rifiuto della tradizione e l'amore per la modernità, la velocità, il progresso. Per ritrarre "il dinamismo" gli oggetti vengono scomposti per dare l'idea del movimento veloce.

La risata (U.Boccioni)

IL MOVIMENTO METAFISICO (1917-1921)

Il pittore Giorgio De Chirico, ex futurista, crea questa nuova avanguardia. Se nel Futurismo tutto è tutto dinamismo e velocità, nella Metafisica tutto è immobile, misterioso, silenzioso. Questo perché è impossibile conoscere davvero la realtà.

Giorgio De Chirico (1888-1978)

Dipinge una realtà che assomiglia a quella che noi conosciamo, ma è creata da una luce irreale, da colori e oggetti innaturali e da una prospettiva così geometrica da esprimere una profonda solitudine. Famosa la sua serie di "città d'Italia".

L'enigma del mondo

ARTE POVERA (1960-1980)

L'arte deve essere semplice, con materiali primari che raccontano la vita dell'artista e coinvolgono lo spettatore. Il suo scopo è evidenziare il processo creativo, la tecnica, più che il soggetto trattato. Michelangelo Pistoletto, per esempio, scolpisce il polistirolo creando statue classiche.

LA TRANSAVANGUARDIA (1980-Oggi)

Nasce ufficialmente alla Biennale di Venezia nel 1980. Le opere sono fortemente narrative, con immagini fantastiche, spesso riferite agli interessi privati dell'artista. Spazio, tempo e storia sono interpretati attraverso una totale libertà espressiva.

Enzo Cucchi (1949-Oggi)

Famosissime le sue installazioni. Fatte con i materiali più diversi, messe liberamente nello spazio espositivo, sono sempre però supporto dell'immagine dipinta, scolpita o disegnata.

La Biennale di Venezia

Ti piace l'arte moderna? Allora non puoi perdere la Biennale di Venezia, dove espongono le loro opere tutti i maggiori artisti del mondo.

Che cos'è la Biennale?

La Biennale di Venezia – Esposizione Internazionale d'arte – è una delle mostre d'arte più importanti del mondo. Si tiene a Venezia ogni due anni, da giugno a novembre e, in genere, ha circa un milione di visitatori. È nata nel 1895, per dare agli artisti un'occasione periodica di presentare* le proprie opere. Negli anni è molto cambiata, diventando uno dei più importanti eventi artistici del mondo e offrendo un interessante panorama dell'arte mondiale. Ma la Biennale ha anche un altro aspetto importante, contribuendo a recuperare* alcuni luoghi storici di Venezia come l'Arsenale e i Giardini di Castello. Le opere, comunque, sono esposte anche nelle calli* e nei campi* della città.

I luoghi della Biennale

L'Arsenale si trova vicino a Piazza San Marco ed è il luogo dove, in passato, costruivano le navi. Una bellissima descrizione dell'Arsenale di Venezia si trova nella *Divina Commedia* di Dante Alighieri (*Inferno*, XXI canto). Nel Medio Evo era il più grande arsenale del mondo. Qui lavoravano 5.000 persone ed era possibile

1 Artista anche tu

Queste sono opere di tre famosi artisti italiani di oggi. Leggi e abbina la descrizione all'opera giusta.

a ☐ *Surreal in Hollywood* di Francesco Vezzoli

b ☐ *Belida* di Roberto Cuoghi

c ☐ *Una pubblicità* di Vanessa Beecroft

1 Le sue sculture sono fluide, fatte di sola materia. Ama le trasformazioni, le cose che diventano "altre cose", perché è affascinato dalla "forma".

2 Le sue opere sono fatte con persone vere. Usa soprattutto giovani donne che si muovono a ritmo di musica, con bellissimi giochi di luce. È molto amata anche nel mondo della pubblicità.

3 Nelle sue opere rappresenta idoli del Pop o star della tv per rappresentare la società di oggi. Mescola alta cultura del cinema e brutti programmi televisivi. Surreale e colorato.

varare* due navi al giorno e costruire corde e cannoni. Uno dei luoghi più interessanti dell'arsenale di Venezia sono proprio le Corderie, dove venivano costruite le corde. Queste uscivano da fori* e venivano tagliate alla lunghezza desiderata, invece di essere costruite in misure *standard*. I Giardini di Castello sono la sede tradizionale della Biennale. Qui si tenne la prima edizione del 1895. Oggi ci sono 29 padiglioni* dove è possibile esporre le opere.

www.labiennale.org

L' Arsenale

GLOSSARIO

calli: _____

campi: _____

fori: _____

padiglioni: _____

presentare: _____

recuperare: _____

varare: _____

2   L'aggettivo giusto
Usa il vocabolario e trova il significato giusto di questi aggettivi. Poi scrivi quelli che ti sembrano più adatti sotto ad ogni foto. Puoi anche cercarne degli altri.

ironico   inquietante   esagerato   pittorico   plastico   alienante   esotico

Campo di colori di Sonia Falcone

The Horse Problem, di Claudia Fontes

Together di Jaume Plensa

_____

_____

_____

_____

_____

_____

_____

_____

_____

17 Il design

Gli oggetti "di culto"

Può un oggetto passare* alla storia e diventare immortale? La risposta è sì. In queste pagine ti proponiamo alcuni degli oggetti che hanno rivoluzionato l'Italia in momenti storici diversi.

FIAT 500

Creata dall'ingegnere Dante Giocosa, la 500 è l'utilitaria per eccellenza ed è il simbolo del boom* economico degli anni '60. Il primo modello è del 1957 e l'ultimo (dopo circa 4 milioni di 500 vendute in Italia e all'estero) è del 1975. I vecchi modelli sono un vero e proprio oggetto di* culto, collezionati dagli appassionati in tutto il mondo. La FIAT 500 era comoda, originale, consumava poco, andava dappertutto ed aveva un rumore inconfondibile*. Nel 2007 la FIAT ha ripreso la produzione di questa amatissima utilitaria, con modelli di grande modernità. Nel 2017 questi nuovi modelli sono già 2 milioni in tutto il mondo.

MOKA

Dire Moka equivale a dire "l'arte del caffè italiano". Dall'inizio degli anni '50 ad oggi sono state prodotte più di 200 milioni di caffettiere. La Moka è l'unico prodotto industriale che non è stato modificato da quando è nato, perché praticamente perfetto. La Moka è nata all'inizio degli anni '50 grazie ad un'idea di Alfonso Bialetti. Da allora, è stata un modello imitato in tutto il mondo e ha dato vita a molte marche di caffettiere. Il caffè della Moka, però, è inimitabile. Il suo gusto e il suo profumo sono inconfondibili.

OLIVETTI-LETTERA 22

La Lettera 22 è stata la prima macchina da scrivere portatile italiana. Ideata da Massimo Nizzoli per la Olivetti nel 1950, è nata come prodotto per "l'uomo della* strada", cioè pratica, trasportabile, leggera e adatta a tutti. Il suo design è stato così innovativo che è entrato subito nella collezione permanente del Museo d'Arte Moderna di New York, vincendo anche il *Compasso d'Oro*, il premio più prestigioso del design italiano.

VESPA

La Vespa è un mito, simbolo del design e dello stile italiano nel mondo. Da mezzo di trasporto rivoluzionario nel dopoguerra – così piccola, economica, pratica – è diventata il simbolo della "dolce vita" negli anni '60, poi veicolo-culto degli *hippy* negli anni '70. Andare "in Vespa" era sinonimo di libertà, velocità di spostamento, di facilità di rapporti sociali. La Piaggio, dal 1946, ha venduto più di 18 milioni di Vespa. Il suo inventore, Corradino D'Ascanio... non amava le moto! Il nome, Vespa, deriva da una esclamazione di Enrico Piaggio davanti al primo modello: "Sembra una vespa!". E Vespa è rimasto.

1 Scrivi l'aggettivo contrario.

1 comodo _____

2 originale _____

3 bello_____

4 simpatico_____

5 giovane _____

6 economico_____

7 buono_____

8 inimitabile _____

2 🔊 18 Ascolta l'audio sulla Vespa, poi rispondi alle seguenti domande.

a Che cos'è l'*Eurovespa*?

_____

b Dove si è tenuto, nel 2006, l'*Eurovespa*?

_____

c Quante vespe hanno partecipato al raduno?

_____

d Da quali parti del mondo sono arrivate le vespe all'*Eurovespa*?

_____

3 Scrivi il sinonimo.

| emblema unico senza difetti autorevole agevole |

1 perfetto _____

2 pratica _____

3 simbolo _____

4 inconfondibile _____

5 prestigioso _____

GLOSSARIO

boom: _____ _____

della strada: _____

di culto: _____

inconfondibile: _____

passare alla storia: _____

Fabrica

Fabrica è un importantissimo centro di ricerca sulla comunicazione. Questo centro è a Treviso, in Veneto, ed è nato da un'idea di Luciano Benetton nel 1994. L'idea di Fabrica è "comunicare per cambiare la società".

I Dipartimenti

Il centro è diviso in tre dipartimenti: Design, Social e Editor. I ragazzi, che vengono da tutto il mondo, hanno borse di studio* e Fabrica paga l'alloggio* e il viaggio. Non è una scuola, ma un vero centro di ricerca. Entrare in questo centro è molto difficile: la selezione è severa*, perché i ragazzi lavoreranno su progetti veri, non su semplici progetti "scolastici". I progetti di Fabrica si uniscono a settori importanti come l'economia, le scienze ambientali e le scienze sociali: tanti linguaggi e obiettivi diversi per cambiare il mondo con la comunicazione.

Progetti molto originali

Il Dipartimento di Design ha partecipato al Salone del Mobile di Milano, con un progetto veramente nuovo e originale che riguarda... l'aria. Riscaldare, raffreddare e passare dal grande (l'aria nel mondo) al piccolo (l'aria nei polmoni).

Il Dipartimento Social ha aiutato l'Unità sanitaria locale a creare messaggi per combattere l'uso di alcol tra i giovani e la violenza contro le donne.

Il Dipartimento Editor si è occupato di immigrazione, per combattere pregiudizi e stereotipi*.

La struttura

La scuola si trova in un'antica villa veneta, Villa Pastega, completamente ristrutturata dall'architetto giapponese Tadao Ando. La scuola ha spazi per studiare, laboratori, biblioteca e auditorium. È una struttura bellissima, che unisce forme antiche e moderne, materiali antichi e modernissimi.

1a Quale dipartimento di Fabrica ti interessa? Design, Social o Editor? Perché?

_____

_____

_____

_____

1b Ora descrivi brevemente un tuo progetto relativo al Dipartimento.

_____

_____

_____

_____

_____

GLOSSARIO

alloggio: _____

architettoniche: _____

borse di studio: _____

esigenze: _____

espresse: _____

faccio giri: _____

opportunità: _____

severa: _____

stereotipi: _____

ti ispira: _____

Gli studenti
Tre studenti di Fabrica parlano della loro scuola e della loro esperienza.

Come ti chiami?
Qiao.
Da dove vieni?
Hong Kong.
Quanti anni hai?
27.
Cos'è Fabrica per te?
Un'esperienza eccezionale
e una grande opportunità*.
Cosa ti piace di questo posto?
Che ogni giorno ci sono cose
nuove da fare e da imparare. Non mi annoio mai!
Da quanto tempo sei a Fabrica? Cosa stai facendo qui?
Sono venuta qui lo scorso gennaio e sono nel
Dipartimento di design interattivo. Siti web, insomma.
Che cosa ti ispira*?
Le esigenze* della vita quotidiana. Cosa vuole la gente,
cosa cerca... vado molto in giro per vedere e capire
come vive la gente.

Come ti chiami?
Serkan.
Da dove vieni?
Turchia.
Quanti anni hai?
28.
Da quanto tempo sei a Fabrica? Cosa stai facendo qui?
Sono qui da tre mesi: studio design tridimensionale.
Cos'è Fabrica per te?
È il luogo della creatività e dell'incontro: qui ragazzi
di tanti Paesi diversi studiano insieme per creare qualcosa
di nuovo.
Cosa ti piace di questo posto?
Le persone! Ci sono tante belle persone qui!
E naturalmente anche i progetti su cui lavoriamo
insieme: veramente un lavoro di squadra. Molto utile!
Cosa fai nel tempo libero?
Faccio giri* in macchina qui intorno per vedere
nuove forme, sia architettoniche* che naturali.
E poi visito gli altri dipartimenti, per imparare
e confrontarmi.
Che cosa ti ispira?
Vedere come le nuove idee vengono
espresse* e sviluppate e confrontarmi
continuamente con gli altri.

Come ti chiami?
Milagros.
Da dove vieni?
Santo Domingo.
Quanti anni hai?
27.
**Da quanto tempo
sei a Fabrica?
Cosa stai
facendo qui?**
Sono qui
da circa
un anno.
Mi occupo
di editoria.
**Cos'è Fabrica
per te?**
È l'occasione della vita! L'opportunità più
importante per cambiare la direzione della
mia vita.
Cosa ti piace di questo posto?
Tutto! Mi piace il posto in sé, la gente, quello
di cui mi occupo! È il centro del mondo, in
un certo senso. Imparo, creo e mi confronto:
un'esperienza preziosa!
Che cosa ti ispira?
Unire passato e futuro. L'arte italiana, la
pittura, la letteratura italiane unite
a quelle mondiali e alle moderne
tecnologie. È una sorpresa
continua!

18 L'Italia nel tempo

Grandi nomi

Viaggiatori, pedagogisti, storici, scienziati e molti altri personaggi hanno contribuito a dare un volto importante all'Italia. Eccone alcuni. Leggi le descrizioni e scrivi i nomi giusti.

Guglielmo Marconi

Rodolfo Valentino

❶ _____ _____

È stato un famosissimo navigatore ed esploratore, nato a Genova nel 1451. Il 12 ottobre 1492 sbarcò* in un'isola dell'America Centrale che chiamò San Salvador. Iniziò così la scoperta dell'America. I re di Spagna, Isabella di Castiglia e Ferdinando d'Aragona finanziarono* la spedizione, partita da Palos, in Spagna con tre caravelle*: la Pinta, la Niña e la Santa Maria. Era il 3 agosto 1492.

❷ _____ _____

Nata nelle Marche nel 1870, fu una grandissima pedagogista* e dedicò tutta la vita ai bambini. Mise a punto un metodo educativo molto diverso rispetto a quello esistente allora che valorizzava l'apprendimento naturale e spontaneo* del bambino. Nelle numerose scuole che fondò creò un ambiente a* misura di bambino. Grande importanza era data ai cinque sensi, che dovevano essere usati liberamente e senza limitazioni.

❸ _____ _____

Nato nel 1895 nel Sud d'Italia, fu un divo famosissimo e uno degli uomini più affascinanti del mondo. Nel 1915 andò negli Stati Uniti a cercare fortuna*. I suoi inizi furono molto difficili, ma si fece conoscere al pubblico con il film *Lo sceicco*. Aveva numerosi fan, che imitavano il suo modo di vestirsi, di pettinarsi, di muoversi, addirittura il suo sguardo. *Sangue e arena* (1922), *L'aquila nera* (1925), *Il figlio dello sceicco* (1926) sono alcuni tra i suoi film più importanti.

Maria Montessori

Giuseppe Garibaldi

Cristoforo Colombo

4 _____ _____

Premio Nobel per la Fisica nel 1909, è
stato un grande scienziato e l'inventore
della radio. Fin da giovane, cercava
di comunicare a distanza senza
il collegamento di fili, ma attraverso
le onde elettromagnetiche. Nel 1901, fece
il primo collegamento radio transatlantico*,
tra Poldhu (Cornovaglia) e l'Isola di
Terranova (America settentrionale).
Il suo nome divenne famoso soprattutto
dopo il naufragio del Titanic, quando
furono salvate molte vite grazie alla radio.

5 _____ _____

Nato a Nizza nel 1807, è stato un generale,
un patriota e un'importante figura storica
del Risorgimento. È ricordato come l'Eroe
dei due mondi per le sue imprese militari
a favore della libertà in Sud America ed
in Europa. Contribuì, con la spedizione
dei Mille e con le sue Camicie* Rosse, alla
formazione del Regno d'Italia. Il suo nome
è legato a quello di patrioti come Camillo
Benso conte di Cavour e Giuseppe Mazzini.

GLOSSARIO

a... bambino: _____

camicie rosse: _____

caravelle: _____

finanziarono: _____

fortuna:_____

pedagogista: _____

sbarcò:_____

spontaneo: _____

transatlantico:_____

Da ieri ad oggi

Ciao! Mi chiamo Attilio e la mia materia preferita è la storia. Vorrei farvi conoscere i principali periodi storici del mio Paese. Cercherò di essere sintetico e di… non annoiarvi troppo!

Incisioni preistoriche in Valcamonica (Lombardia)

La preistoria

È l'epoca che va dalla comparsa dei primi uomini alla nascita della scrittura. È divisa in due periodi principali, detti "età della pietra": il Paleolitico (dal 550.000 al 10.000 a.C.), precedente alla nascita dell'agricoltura, e il Neolitico (dal 5.000 al 3.000 a.C.), in cui si diffondono l'agricoltura e le prime forme stabili di insediamento*.

L'Impero Romano

Roma si* estende su tutti i Paesi del Mediterraneo. Gli imperatori costruiscono monumenti, arene, acquedotti, templi e strade in tutta l'Europa, ma il prezzo da pagare per i popoli conquistati è molto alto. Roma, infatti, si arricchisce grazie alle tasse che i popoli conquistati devono pagare.

Il Medioevo

È un lungo periodo che va dalla fine dell'Impero Romano (476 d.C.) alla scoperta dell'America (1492). L'Italia viene invasa dalle popolazioni straniere che, poco alla volta, la dividono in tanti stati diversi. Tutti questi stati saranno riuniti in una sola nazione italiana solo nel 1861. In questo periodo l'Italia è anche il campo di battaglia delle guerre sanguinose tra la

Federico II di Svevia

chiesa e l'Impero. Ma è anche il periodo dei Comuni, cioè delle città che diventano potenti e ricche, con un proprio libero governo.

1500-1600

È un periodo di grande rinnovamento artistico, letterario e scientifico che inizia nel XV secolo. I centri principali di questa rinascita sono le grandi città come Firenze e Roma. Da un punto di vista politico, invece, l'Italia viene conquistata dalla Spagna e dall'Austria che impongono tasse molto alte. È anche il periodo della Controriforma, cioè delle lotte tra Chiesa cattolica e Protestanti.

La Velata (Raffaello Sanzio)

1700

La Rivoluzione francese accende le speranze di libertà. I concetti di "fiducia nella ragione" e di liberazione dalle superstizioni del passato, però, faticano a prendere piede in Italia, perché il potere conservatore della Chiesa e dei nobili è ancora fortissimo. Le speranze di libertà vengono definitivamente distrutte da Napoleone che conquista l'Italia.

Parlatorio delle monache (Francesco Guardi)

1800

È il periodo del Risorgimento, cioè delle guerre d'Indipendenza italiane. Dopo la caduta di Napoleone, infatti, Spagnoli ed Austriaci erano tornati in Italia.
In questo periodo l'Italia combatte per l'indipendenza e l'Unità, raggiunta nel 1861, grazie all'opera di patrioti come Cavour, Mazzini e Garibaldi. L'unificazione viene poi completata con l'annessione di Roma, capitale dello Stato Pontificio, il 20 settembre 1870. L'Italia diventa un regno unito, sotto la casa reale di Savoia.

Il fascismo

Dopo la prima guerra mondiale sale al potere Benito Mussolini, che da vita ad una dittatura fascista durata per oltre vent'anni e caduta con la fine della seconda guerra mondiale, nella

Benito Mussolini

quale Mussolini si era alleato con Hitler. L'armistizio firmato con gli americani l'8 settembre 1943 porterà la distruzione in Italia, a causa della repressione nazista e della ripresa fascista. Nasce il fenomeno dei "partigiani", soldati e civili che combatteranno contro tedeschi e fascisti italiani. Il 25 aprile 1945 gli Alleati libereranno finalmente l'Italia.

2 giugno 1946

Al referendum del 2 giugno 1946 gli italiani votano a favore della Repubblica. È la fine della monarchia. A partire dal 1° gennaio 1948 entra in vigore la Costituzione dello Stato italiano.

L'Italia di oggi

L'Italia fa parte della NATO e della Comunità Europea. Ha partecipato a tutti i principali trattati per l'unificazione dell'Europa. Dal 1° gennaio 1999 è entrato in vigore l'Euro.

GLOSSARIO

insediamento: _____

si estende: _____

---

1 🔊 19   Luoghi istituzionali. Ascolta e scrivi il nome giusto.

1 _____

Dal 1871 è la sede della Camera dei deputati. La Camera dei Deputati è uno dei due organi che costituiscono il Parlamento Italiano. È composta da 630 membri che vengono detti deputati e assumono il titolo di onorevole.

3 _____

È la sede del Governo italiano dal 1961. Il governo in Italia è un organo collegiale composto dal Presidente del Consiglio e dai Ministri, che insieme formano il Consiglio dei Ministri, a cui spetta il potere esecutivo.

2 _____

Dal 1871, è sede del Senato della Repubblica. La carica di senatore è elettiva, e dura 5 anni, ma può essere anche assegnata "a vita".

4 _____

Sorge sull'omonimo colle di Roma. È la residenza ufficiale del Presidente della Repubblica Italiana ed uno dei simboli dello stato italiano. Fu la residenza del Papa fino al 1870, divenne poi la residenza dei Re fino al 1946.

19 Letteratura

Il piacere di leggere

Siete pronti per un veloce viaggio nella storia della letteratura italiana? Un'occasione per scoprire tanti autori meravigliosi.

Il Duecento

I primi scritti in "volgare italiano" sono del IX secolo. L'italiano veniva chiamato "volgare", perché era la lingua del "volgo", cioè del popolo. I letterati e gli studiosi, infatti, usavano il latino. Bisognerà aspettare il 1200 per avere le prime poesie in italiano. Queste parlano soprattutto d'amore e di religione. La prima grande opera in volgare è il *Cantico delle creature*, di San Francesco, che ringrazia Dio per il dono del Creato*. In Sicilia, invece, alla corte dell'imperatore Federico II nascono i "poeti siciliani". Si tratta di poeti che cantano* "l'amor cortese", cioè l'amore assoluto per una sola donna, cui saranno fedeli per tutta la vita.

Il Trecento

In Toscana nasce il "Dolce Stil Novo", un nuovo modo di scrivere poesie d'amore. È uno stile che usa solo parole "dolci", cioè chiare, eleganti e nobili. Per questi poeti, primo tra tutti Dante Alighieri, la donna è "angelicata", cioè come un angelo, una creatura perfetta che avvicina l'uomo a Dio. Per questo l'amore tocca solo i cuori nobili, onesti, gentili. Questo è un nuovo concetto di "nobiltà": non è la nobiltà di* sangue, ma la nobiltà d'animo, la nobiltà morale. Grande poeta d'amore è Francesco Petrarca, che nel suo *Canzoniere* usa solo parole "scelte", le uniche degne di entrare in poesia. Giovanni Boccaccio, invece, fa il contrario. Con il suo *Decameron* l'amore diventa "democratico": per lui tutti gli uomini sono degni di provare amore, perché l'amore è gioia e dà senso alla vita.

1400 - L'Umanesimo

Dopo la terribile peste* del 1348, che getta l'Europa nel dolore e nella miseria, c'è una lenta ripresa. Nascono in Europa i primi Stati e in Italia le prime Signorie*. In* primo piano ora ci sono la politica e la scienza. A questo proposito, la corte di Lorenzo de' Medici a Firenze diventa il "centro del mondo". Qui si studiano gli autori classici latini e greci, non solo per leggere delle grandi opere, ma per trovare modelli di comportamento. Si esaltano qualità umane come la dignità, la libertà e la fantasia. Non ci sono grandi scrittori, ma grandi pensatori.

1500 - Il Rinascimento

Lo scrittore più importante è Niccolò Machiavelli, diplomatico alla corte di Lorenzo de' Medici. La sua opera *Il Principe* scandalizza l'Europa intera. In questo libro Machiavelli analizza i vari generi di Signorie e di eserciti, per trovare le qualità necessarie a un principe per conquistare e conservare uno stato. Con Machiavelli nasce la politica moderna, cioè una forma di politica lontana da ogni morale. Il principe, secondo Machiavelli, non dev'essere buono, ma dev'essere potente. Per la prima volta Machiavelli dice che l'uomo costruisce il proprio destino e che non è sottoposto ad eventi soprannaturali come la Provvidenza. Il successo in politica è legato solo ad alcune regole, che si basano tutte sull'osservazione della realtà.

Il Seicento

È un secolo molto povero dal punto di vista letterario. L'Europa, infatti, è sconvolta* da guerre, pestilenze e carestie* che riportano al potere le vecchie famiglie nobili, dalla mentalità antiquata. Sul piano culturale la nobiltà e il clero impongono il loro interesse per i riti, i cerimoniali e la ricchezza. Nasce quindi uno stile molto "visivo", il barocco, che vuole stupire il pubblico. In letteratura gli autori curano molto la scelta delle parole e l'uso delle metafore. Spesso ne vengono fuori solo brutti tentativi, ma in genere questo arricchisce la lingua perché ne mostra le potenzialità.

Il Settecento

Il fallimento della nobiltà e del clero ridanno importanza alla borghesia. Questa sviluppa una nuova cultura "ottimista", basata sul progresso, sul commercio, sulla scienza e sulla ragione, ufficializzata poi dalla Rivoluzione Francese. In Italia, divisa in tanti Stati dominati da re stranieri, il Razionalismo si diffonde con difficoltà, ma è difeso da persone come Cesare Beccaria, il primo al mondo a dire no alla pena di morte. Carlo Goldoni, poi, con le sue commedie fonda il "teatro moderno", quello con veri personaggi e un vero copione da seguire. Nascono anche le prime poesie patriottiche per la libertà d'Italia. Tra queste, le poesie di Ugo Foscolo.

L'Ottocento

Se tutta l'Europa è dominata dai sentimenti romantici, l'Italia ha ben altri problemi. È il secolo delle Guerre d'Indipendenza per liberarsi dalla dominazione degli austriaci, che porteranno all'Unità d'Italia del 1861. Tutta la letteratura parla di patriottismo e di libertà. Questo è anche il secolo del primo grande romanzo italiano, *I Promessi Sposi* di Alessandro Manzoni. Partendo da un piccolo fatto di cronaca accaduto nel 1600 vicino a Como, traccia un quadro della situazione storico-politica italiana.

1 🔊 20 **Ascolta e completa.**

Il Novecento

È il secolo del "nuovo". In Italia nasce la prima _____ : _____
Questi credono nel progresso, nella velocità, nella "rottura" con il passato e nel _____. In sostanza, tutto il '900 si troverà a _____ la tradizione, trattando temi come la solitudine, la noia, l'_____ , la mancanza di certezze, la _____. Dopo la Seconda Guerra Mondiale, il _____ sostituisce la poesia. Ci sono le opere politico-sociali di Carlo Levi, quelle sulla solitudine umana di Giorgio Bassani, quelle legate all' _____ di Primo Levi e Leonardo Sciascia.

GLOSSARIO

cantano: _____
carestie: _____
Creato: _____
di sangue: _____
in primo piano : _____
peste: _____
sconvolta: _____
Signorie: _____

2 Vero o falso?

		V	F
1	L'italiano veniva chiamato "volgare", perché era la lingua del popolo.	☐	☐
2	Il Dolce Stil Novo si sviluppa in Toscana.	☐	☐
3	Con Boccaccio, l'amore diventa "democratico".	☐	☐
4	Nel '400 si studiano i classici latini e greci.	☐	☐
5	Per Machiavelli, il principe non dev'essere potente, ma buono.	☐	☐
6	Nel Seicento, si scoprono le potenzialità della lingua italiana.	☐	☐
7	Il Romanticismo italiano è soprattutto patriottico.	☐	☐

Il gioco degli autori

Ecco alcuni degli autori più importanti della letteratura italiana. Abbina ad ognuno l'opera giusta.

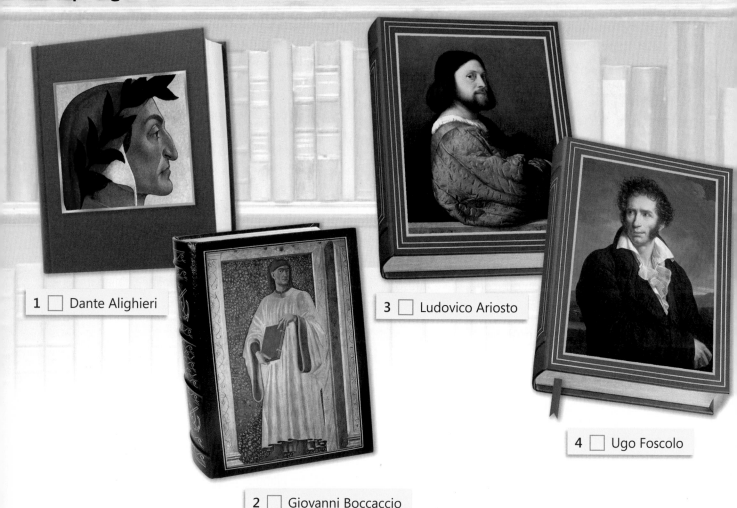

1 ☐ Dante Alighieri

2 ☐ Giovanni Boccaccio

3 ☐ Ludovico Ariosto

4 ☐ Ugo Foscolo

a L'Orlando furioso (1516-1532)
Questo poema racconta le vicende dei paladini* di Carlo Magno contro i mori*, ma in realtà è la descrizione ironica e distaccata* dell'animo umano e delle sue debolezze. L'autore non ha nei confronti degli uomini alcuna speranza, ma una tranquilla, rassegnata sfiducia.

b Le Ultime lettere di Jacopo Ortis (1796-1802)
È un romanzo epistolare* in cui l'autore sfoga tutto il suo dolore dopo il trattato di Campoformio, con cui Napoleone cedette all'Austria Venezia e altre zone dell'Italia. Una grande "tempesta" romantica, con il doppio dolore del tradimento di Napoleone e di un amore infelice.

c I Promessi Sposi (1827-1842)
È il primo romanzo italiano che esprima realismo psicologico, oltre ad una profonda religiosità. L'autore, inoltre, è il primo a cercare di risolvere il problema dello "scrivere in italiano", dato che – ancora nell'Ottocento – non esisteva una lingua italiana unitaria.

d La coscienza di Zeno (1923)
In questo romanzo Zeno Cosini, non riuscendo a smettere di fumare, ricorre alla psicanalisi, scienza nuovissima nei primi anni del '900. Su consiglio del suo psicologo, decide di scrivere la sua vita. Ne esce una personalità abulica*, incapace di veri sentimenti: la vera malattia dell'uomo moderno.

5 ☐ Alessandro Manzoni

6 ☐ Giacomo Leopardi

7 ☐ Italo Svevo

8 ☐ Pier Paolo Pasolini

GLOSSARIO

abulica: _____

distaccata: _____

epistolare: _____

mori: _____

novelle: _____

paladini: _____

e **La Divina Commedia (1307-1321)**

Il poema è diviso in tre Cantiche: Inferno, Purgatorio e Paradiso. Il poeta immagina di attraversare questi tre regni, per arrivare alla visione di Dio. Può essere considerato il riassunto di tutta la cultura e la fede medievale e il primo capolavoro poetico scritto in volgare.

f **Ragazzi di vita (1955)**

Roma anni '50. Il romanzo racconta la giornata di un gruppo di poverissimi giovani romani che, spinti da esigenze basilari come la fame, la paura, la ricerca di aiuto, vivono avventure comiche, tragiche, grottesche, violente ma anche molto generose.

g **Lo Zibaldone (1822-1832)**

In questa raccolta di pensieri e riflessioni, il poeta esprime la sua visione tragica della vita: il dolore è la sola legge del creato. Un'idea pessimista che avrà molta importanza sugli scrittori del Novecento.

h **Il Decamerone (1349-1353)**

È una raccolta di novelle* d'amore, divisa in 10 giornate. Dei giovani, infatti, per fuggire alla terribile peste del 1348, si rifugiano in una villa e si raccontano storie d'amore. Ogni giornata ha un tema: l'amore felice, quello triste, quello romantico, quello ironico, quello sensuale...

20 Andare in vacanza

Le spiagge più belle

Usa un atlante e scrivi il nome delle regioni in cui si trovano queste spiagge.

Castiglione della Pescaia _ _ _ _ _ _ _ _ _
Questo piccolo paese della Maremma ha origini antichissime, risalenti* a 60.000 anni fa. La parte antica di Castiglione della Pescaia è un "balcone" sul Mar Tirreno. Il suo porto turistico offre escursioni* giornaliere per le isole dell'Arcipelago Toscano.

Capalbio _ _ _ _ _ _ _ _ _
Capalbio è un piccolo borgo medioevale della Maremma. Qui, la natura è incontaminata* e ricca di contrasti: da una parte il mare, dall'altra la campagna. Le origini di Capalbio sono antichissime: fu fondata dagli etruschi* e abitata dai romani.

Pollica _ _ _ _ _ _ _ _ _ _ _
È un piccolissimo paese che si trova nel Parco Nazionale del Cilento, protetto dall'UNESCO dal 1997. Pollica si trova in un'area bellissima, sia per i suoi fondali* e per il suo mare, sia per i boschi del Parco.

Villasimius _ _ _ _ _ _ _ _ _ _
Villasimius è una famosa località turistica. Il paesino, che d'inverno conta circa 3.000 abitanti, raggiunge i 60.000 abitanti d'estate. Il motivo di tanto successo è nella serie infinita di angoli incantevoli delle sue coste, visibili fin dalla strada panoramica che la collega a Cagliari.

spiaggia Villasimius

GLOSSARIO

a un passo: _____

escursioni: _____

etruschi: _____

fondali: _____

incontaminata: _____

mozzafiato: _____

risalenti: _____

scorci: _____

Isola del Giglio __ __ __ __ __ __ __ __ __

È un'isola pittoresca situata al centro del Mar Tirreno.
Il mare color smeraldo, con i suoi fondali ricchi e
pescosi, fanno parte di un territorio per il 90% ancora
selvaggio, che invita a fare bellissime passeggiate.

Porto Venere __ __ __ __ __ __ __ __ __

Il borgo di Porto Venere si caratterizza per un
panorama mozzafiato*, fatto di scorci* caratteristici
e pittoreschi. Tipici del luogo sono gli antichi portali
delle "case torri", che si allineano strette l'una
all'altra sui carruggi.

Otranto __ __ __ __ __ __ __

Fare una vacanza a Otranto significa venire a
contatto con la storia del Mediterraneo. La città,
fu, infatti, bizantina e gotica, poi normanna, sveva,
angioina e aragonese. Otranto è la città più a Est
d'Italia. La Grecia è solo a* un passo.

I Parchi Nazionali d'Italia

In Italia ci sono 21 Parchi Nazionali, che rappresentano il 5% del territorio della penisola.

Il Parco Nazionale dello Stelvio

Si trova nelle Alpi centrali. Le persone che praticano lo sci e l'alpinismo amano molto questo Parco, soprattutto per i numerosi ghiacciai che non si sciolgono mai e che hanno formato nei secoli anche bellissimi laghetti e che danno acqua a sorgenti, torrenti e cascate. Il Parco è ricco di boschi, foreste e praterie* dove vivono molti animali. È possibile vedere branchi* di cervi o scoiattoli che vivono nei boschi. Non mancano la volpe, la marmotta e le aquile reali.

Il Parco Nazionale del Gran Sasso e dei Monti della Laga

Qui si trova l'unico ghiacciaio degli Appennini, il Calderone. Nel Parco vivono più di 2.000 specie di piante. Tra gli animali, la specie più interessante è il camoscio d'Abruzzo, che fino al secolo scorso era molto numerosa. A causa dei cacciatori questa specie era scomparsa. Oggi, grazie a importanti progetti ecologici, i camosci sono tornati.

1 Abbina ad ogni foto il nome dell'animale.

1 ☐ 2 ☐ 3 ☐ 4 ☐

5 ☐ 6 ☐ 7 ☐ 8 ☐

a capriolo   **c** volpe   **e** tasso   **g** marmotta
b scoiattolo   **d** lepre   **f** aquila   **h** camoscio

Il Parco Nazionale dell'Arcipelago della Maddalena

Si trova nel Nord della Sardegna. È costituito da isole di diverse dimensioni, rocce, spiagge, fondali, migliaia di specie animali e vegetali e siti* archeologici subacquei. Il mare si caratterizza per le sue acque limpide, che hanno tutte le sfumature del blu. La sabbia è bianchissima, ad eccezione della spiaggia di Budelli, che è di colore rosa.

Il Parco Nazionale della Calabria

È costituito da due zone montuose: la Sila grande e la Sila Piccola, entrambe ricchissime di foreste e utilizzate per il legname. Il Parco è interamente naturale, senza centri* abitati al suo interno. Uno degli aspetti che lo caratterizzano è la presenza di moltissimi lupi. Gli altri animali che vivono nel Parco sono il daino, il capriolo, lo scoiattolo, la volpe, la lepre, il tasso.

GLOSSARIO

branchi: _____

centri abitati: _____

praterie: _____

siti: _____

Passo dello stelvio

Il Parco Nazionale dell'Arcipelago della Maddalena

2 🔊 21 **Ascolta il brano e poi rispondi alle seguenti domande.**

1 Quando si celebra la Giornata Europea dei Parchi?

_____

2 In quale Paese europeo è nato il primo Parco?

_____

3 Quali specie animali sono state salvate grazie ai Parchi? Scrivi qualche nome.

_____

4 Con la nascita dei Parchi l'occupazione è aumentata o diminuita?

_____

I musei da visitare

In Italia ci sono 4.120 musei e tutti hanno qualcosa da vedere. Ecco i più prestigiosi. Vuoi saperne di più? Vai sul sito www.musei.it

Musei Vaticani – Roma

I Musei Vaticani contengono i capolavori che i Pontefici Romani hanno commissionato e raccolto nel corso dei secoli. Oltre all'immenso patrimonio di opere d'arte esposte nelle diverse gallerie, ai Musei Vaticani è possibile visitare la Cappella Niccolina, con le pitture del Beato Angelico, l'Appartamento Borgia decorato dal Pinturicchio, le stanze di Raffaello e, naturalmente, la famosissima Cappella Sistina di Michelangelo.

mv.vatican.va

Gli Uffizi - Firenze

La Galleria degli Uffizi contiene alcune straordinarie collezioni di dipinti e di statue antiche. Tra gli artisti più famosi, basta ricordare i nomi di Giotto, Simone Martini, Piero della Francesca, Beato Angelico, Filippo Lippi, Botticelli, Mantegna, Correggio, Leonardo, Raffaello, Michelangelo, Caravaggio. Importanti sono anche le raccolte di pittori tedeschi, olandesi e fiamminghi. Tra questi: Dürer, Rembrandt, Rubens.

www.uffizi.it

Pinacoteca di Brera - Milano

La Pinacoteca di Brera è il principale museo d'arte di Milano, che ospita opere d'arte antiche e moderne. Si possono ammirare opere di varie scuole: da quelle trecentesca e quattrocentesca a quella settecentesca con le opere di Tintoretto ed il famoso bacio di Hayez a quella ottocentesca con opere dei macchiaioli e di artisti del romanticismo. La collezione Jesi raccoglie la più ricca serie di opere del Novecento, con opere dei maggiori artisti italiani, fra cui Boccioni, Braque, Carrà, De Pisis, Marino Marini, Modigliani e Morandi.

pinacotecabrera.org

I Musei Vaticani di Roma e la Galleria degli Uffizi a Firenze sono tra i primi sei al mondo per numero di visitatori.

1 Andiamo al museo: scrivi ogni opera al posto giusto.

I Musei Vaticani	Gli Uffizi	La Pinacoteca di Brera

Deposizione dalla croce (Caravaggio)

Annunciazione (Leonardo Da Vinci)

La Primavera (Botticelli)

Cena di Emmaus (Caravaggio)

Cristo morto (Mantegna)

Ritratti di Federico da Montefeltro e di Battista Sforza (Piero della Francesca)

Liberazione di San Pietro (Raffaello)

Madonna col bambino (Beato Angelico)

Ritratto di giovane donna (Modigliani)

La consegna delle chiavi (Perugino)

Lo sposalizio della Vergine (Raffaello)

Il Giudizio Universale (Michelangelo)

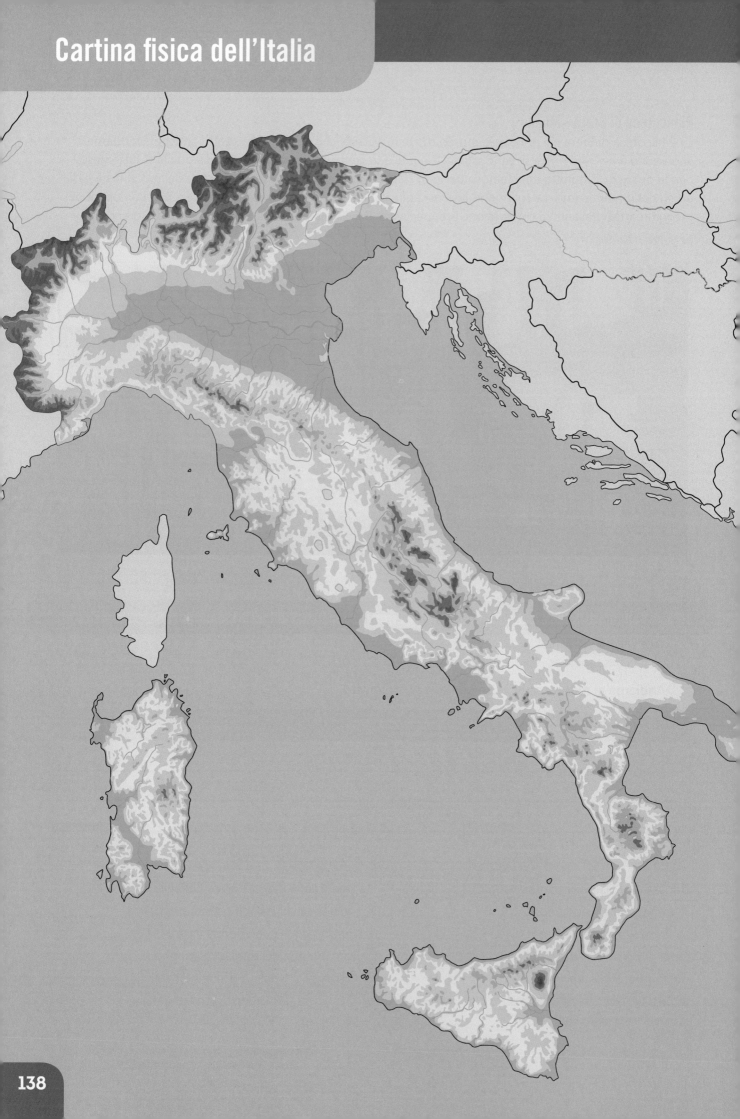

SVIZZERA

AUSTRIA

UNGHERIA

SLOVENIA

CROAZIA

BOSNIA ED ERZEGOVINA

FRANCIA

MAR LIGURE

CORSICA

MAR TIRRENO

MAR MEDITERRANEO

ALGERIA

TUNISIA

MALTA

MAR IONIO

MARE ADRIATICO

VALLE D'AOSTA
Aosta

PIEMONTE
Torino
Alessandria
Asti
Cuneo
Novara
Vigevano
Pavia

LOMBARDIA
Varese, Como, Bergamo
Busto Arsizio, Monza, Brescia
Milano
Cremona

TRENTINO-ALTO ADIGE
Bolzano
Trento

FRIULI VENEZIA GIULIA
Belluno, Udine
Trieste

VENETO
Treviso, Vicenza, Padova
Verona, Venezia, Rovigo

LIGURIA
Genova, Savona, Imperia
La Spezia

EMILIA-ROMAGNA
Piacenza, Parma, Carpi, Reggio nell'Emilia, Modena, Bologna, Ferrara, Ravenna, Imola, Forlì, Cesena, Rimini

TOSCANA
Carrara, Massa, Pistoia, Prato, Firenze, Viareggio, Lucca, Pisa, Livorno, Arezzo, Siena, Piombino, Grosseto

SAN MARINO

Pesaro, Fano

MARCHE
Ancona, Ascoli Piceno

UMBRIA
Perugia, Terni

Viterbo

ABRUZZO
Teramo, Pescara, L'Aquila, Chieti

LAZIO
Civitavecchia, Guidonia Montecelio, ROMA, Fiumicino, Pomezia, Aprilia, Latina

MOLISE
Campobasso

CAMPANIA
Caserta, Benevento, Giugliano i. C., Napoli, Pozzuoli, Torre del Greco, Salerno

PUGLIA
Foggia, Barletta, Andria, Bari, Altamura, Matera, Taranto, Brindisi, Lecce

BASILICATA
Potenza

CALABRIA
Cosenza, Lamezia Terme, Crotone, Catanzaro, Reggio Calabria

SARDEGNA
Olbia, Sassari, Nuoro, Oristano, Medio Campidano, Carbonia-Iglesias, Quartu Sant'Elena, Cagliari

SICILIA
Messina, Palermo, Trapani, Marsala, Agrigento, Gela, Vittoria, Ragusa, Catania, Siracusa

MAR ADRIATICO

Lista delle parole

Lista delle parole